40歳から凡人として生きるための文学入門

森川慎也
Morikawa Shinya

幻戯書房

40歳から凡人として生きるための文学入門

森川慎也

幻戯書房

まえがき

三十年間、英語の本を読んできた。とにかく面白そうな本を英語で読んできた。英文学を専門にしているのだから、英語の本を読むのは当たり前である。

ただ、私の場合、英語の本ばかり読んで、日本語の本はほとんど読んでこなかった。だから世間でどういう本が読まれているのかを知らない。日本のベストセラー小説も知らない。英語の本ばかり読んでいるうちに、日本の世間を知らないまま中年になった。学生と話していると、ときどき嚙《か》み合わない。向こうの知っていることをこちらが知らない。こんなことも知らないのかと呆れられる。せめて最近売れている漫画くらい読みましょうよ、と学生に諭される。世間の人は学者バカとよく言うが、私は世間知らずのバカになった。

数年前に愚息が小学校高学年になり、ちょくちょく一緒に本屋に行くようになった。息子は十代向けに書かれた小説のコーナーに向かってダッシュする。私は新書のコーナーに直行する。有名人の本、世間で話題になっている新書を探す。面白い本を見つけると、その著者の本をまとめて購入する。

そうやって一年くらい読んでいるうちに、お気に入りの著者も何人か見つかった。ところが困ったことに、興味に任せて読んでいくうちに、だんだん手にとりたいと思える本が少なくなってきた。これだけ数多くの新書が毎日出版されているのに、読んでみたいと思える本が次第になくなってきたのである。

そこで、もう一度よーく書店の本棚を見た。よく見ると、結局、三種類の本しかない。

一つはハウツー本。もう一つは解説本。あとは古典的な名著。

どれも一流の著者によって書かれた本ばかりである。これって当然のことなのか。私はそう思わない。むしろ異様だと思う。一流の人の本をいくら読んでも、その本の中に私のような凡人は出てこない。非凡な人が書いた本だから、凡人のかけらもない。非凡な人が凡人に向かって非凡なことを書いている。だから異様なのである。

書店に通うようになってようやく気づいたのは、非凡な人が平凡な人に向かって書いた本しかそこにはないという事実である。四十半ばを過ぎてようやく知ったわけだから、いかに私が世間知らずのバカか、よくお分かりいただけたかと思う。

でも、読者の大多数が凡人なのに、凡人の書いた本がないのはどう考えてもおかしい。みなさん、内心そう思っているんじゃないですか。

そこでこう決めた。

凡人による凡人のための本を自分で書こう、と。すごい飛躍だと思われたかもしれないが、凡人の私にとってこれはごく自然な発想である。

凡人として凡人に語りかけることに関しては、人後に落ちないと。凡人は凡人から学ぶのが一番いいに決まっている。凡人の私が凡人の読者に向かって、凡人としてより良い生き方を一緒に考えましょう、と語りかけるのだから、参考にならないわけがない。別に自信満々なのではなくて、それが普通の語りだと思っている。

本書は、凡人として生きるための知恵を文学から学び、読者のみなさんに健やかに軽やかに生活してもらうことを願って書いたものである。凡人として生きる術を身につけるには、文学を読むのが一番いい。私は自分の経験に基づいてそう言っている。

本書で言及する作家は少ない。しかも同じ作家が何度も出てくる。これは私が怠惰なせいで、凡人を論じる上で参考になりそうな文学作品をいちいち選ぶのが面倒なだけである。探せばいろいろと見つかるかもしれないが、別に「文学における凡人の系譜」みたいな研究には興味がないから、そういう面倒なことはしない。ただし扱う作家は、読者には残念かもしれないが、非凡な人たちばかりである。非凡な人の書いた本を読んで凡人の参考になることはまずないと思うのだが、それこそ読み方を間違うと、凡人として健やかに軽やかに生きるという本書の目的からどんどん遠ざかることになりかねない。そこで、凡人の私が、作者と読者の間に勝手に介入して、凡人としての読み方をお示ししよう。そう考えたのである。

と、ここまで書いて大事なことを書き忘れているのに気づいた。本書が想定している読者の年齢である。本書は四十代以上の読者を想定している。それより若い人はこの「まえがき」は読んでも、本編は読まないほうがいい。読んでも人生の指針にはならない。あくまで中高年の人たちを想定して書いた本である。四十歳を過ぎたら多くの人は自らが凡人であることを自覚するようになる。しかしそれでは物足りない。自覚の一歩先に、凡人として生きる覚悟がほしい。覚悟を持つには文学を読むのが一番である。だが、文学を読むには時間がかかる。〝四十歳から凡人として生きるための文学入門〟がどうしても必要なのだ。

四十代になって私が日々思うのは、人間というのはつくづく無意味な存在だということである。私はそう思っているし、多くの読者の方もそう思っているのではないかと感じる。でも人間の存在が無意味だからといって、それで安心立命に生きられるのかというと、生きられない。人間はその無意味さに耐えられないからである。自分たちの存在が、自分たちの人生が無意味だと思うことに耐えられない。耐えられないから、生きることは意味を作り出すことになっていく。でも、意味を作り出すというのはじつは容易ではない。

そこで、文学を手がかりに凡人の人生にどのような意味を付与できるのかを考えよう、というのが本書のねらいである。

ただ、本書はいわゆるハウツー本でも、解説本でもない。教養書でもない。本書を読んで、何かができるようになったり、何かを理解できるようになったりはしない。こういう書き方を大学のシラバス（講義概要）ですると即アウトである。シラバスでは学習目標の欄に「～ができる」と書かなければいけない。しかし、この「まえがき」はシラバスではないし、そもそも学習目標もない。だから本書を読んで教養が身につくこともない。じゃあ、本書を読むメリットは何なのか。当然、読者はそう思われたはずである。メリットはありません。私の願いは、読者のみなさん（平凡であることが条件です）が、ご自身の凡人ぶりを自覚され、凡人であることに卑屈にならず、健やかに、そして軽やかに生きていくための手がかりをつかんでいただきたい、それだけです。

本書は六つの章に分かれている。

I「私という凡人について」は、自己紹介を兼ねて著者である私の凡人ぶりを記した。凡人の親は凡人と相場が決まっているから、私の両親もまた凡人である。だが、夫婦共々凡人だからといって、考え方が同じかと言えば、そうとは言えない。実際、私の両親はものの見方が真逆である。両者がどれくらい違うかを示し、その正反対のものの見方の間で息子の私がどのように揺れ動いてきたかを書き記した。あくまで個人的な話である。

II「カズオ・イシグロの面白さ――凡人だから分かること」では、イギリス人作家カズオ・イシグロの小説や脚本を取り上げた。なぜイシグロなのか？　これまで三十年間読んできた英文学の作家の中で、私が一番面白いと思う作家だからである。ただ、私の思うイシグロの面白さはなかなか人に伝わりにくいようである。そう思うことがこれまで何度かあった。数年前にカルチャーセンターでイシグロについて話したところ、初老の受講者から、カズオ・イシグロってそんなに深刻な作家なのですか？　と質問を受けた。本書を読んでいただければ、なぜそんな質問が出てくるのかがお分かりいただけると思う。

III「読書感想文――凡人だからこそ本を読んで考える」では、凡人の私が面白いと思った本

（二冊）とつまらないと思った本（一冊）について感想を述べている。前者は文学ではなく、人生論、芸術論である。どちらも面白い。学生に読書レポートを書かせるときにいつも、必ずどんな本でも面白いところがあるから、それを見つけろ、と助言する。そのたびに、いいことを言うな、と自分で思っていた。でも、自分で書いてみて分かった。どうしてもつまらない本はあるのだと。それは生理的なもので、結局、相性の問題に過ぎない。だから、小説家イアン・マキューアンには申し訳ないが、私の気に入らない作家の代表として登場してもらう。この章では、他人の褌を借りて、人生、芸術、小説という凡人の関心事について語ったつもりである。

IV「平凡な読者のための文学の読み方」では、文学教師としての私の至らなさを棚上げして、なぜ文学の授業が退屈になるのかということについてはじめに考えた。もちろん世の中には面白い授業をする文学教師はたくさんいるし、その何人かの先生の授業を受けたこともあるから、面白い文学の授業は体験的に知っている。ただ、それはほとんどの場合、その教師の非凡な力量と個性によるところが大きい。凡人の教師が授業で文学を取り上げると大抵つまらない。別に学生から面と向かって、先生の授業はつまらない、と言われたわけではないが、教えている私が退屈だと感じるのだから、学生もそう感じているはずである。だから自分でその理由を考えてみた。ついでに、凡人の読者が文学をどう読めばいいのかについても私見を述べている。

つまらない授業をする教師に凡人呼ばわりされ、その読み方まで指南されるのは不愉快に決まっているが、私たちの大多数は凡人なのだから、凡人の読み方は凡人から教わるしかない。私はそう思っている。

V「平凡な文学研究者のメモ書き」は、センチメンタルなエッセイである。文学研究というのはいったい何をしているのか。研究をやっている当人もよく分かっていないので、じゃあ何をしているのか、と考えて書いたものである。

VI「文化と凡人——文化、文学、人生と意味付与の関係を考察する」は誇大妄想的評論である。私のような語り手を信用してはいけない。私が思うところの文化論・文学論を書いたらこういうものが出来上がった、という程度のものだから、あまり真面目に読まないでもらいたい。せっかくだから、凡人の生き方の極意も伝授しようと張り切って書いたが、どこまで説得力があるのかは分からない。

最後に、本書の読み方について一言。よく「まえがき」で、好きな章から読んでください、と書く人がいるが、あれは本音ではないと私は考えている。著者（あるいは編集者）は大抵章の順番をそれなりに考えて目次を作っている。本書のように学習目標があるのかないのか分からないような本は、どこから読んでもよさそうだが、途中から読み始めると混乱するかもしれない。軽いテーマは前のほうにあって、後ろは著者の妄想が暴走する文が続く。平凡な読者は前から読むことをおすすめしたい。

面倒臭い著者だなと思われたかもしれないが、凡人の著者とはそういうものである。

目次

装丁　佐藤絵依子

I

私という凡人について

この世は生きにくい——凡人であればあるほど

「凡人」はありふれた言葉である。

凡人とは平凡な人である。平凡な人とは社会的に大きな仕事をしない普通の人である。私たちの大多数は普通であり、凡人である。大多数が凡人であるにもかかわらず、今の社会ではどうも凡人は生きづらい。凡人であれば日々感じるはずである。

有名な某ネット通販サイトで「凡人」に関する書籍を検索したら、次のようなタイトルがヒットする……

- 『「凡人」を脱するための10の考え方』
- 『凡人の戦術——天才にもエリートにもなれなかった僕たちが、この世の中で勝ち残るために必要なこと』
- 『凡人がYOUTUBE登録者数1000人を3か月で突破した戦略』
- 『潜在意識の魔法——凡人サラリーマンが最強の事業家に変わる』

・『凡人が天才に勝つ方法――自分の中の「眠れる才能」を見つけ、劇的に伸ばす45の黄金ルール』

要するに、凡人は凡人のまま呑気に生きている場合じゃない、ということである。凡人は自分の才能を伸ばすことが求められる。凡人は勝ち残るために戦略を立てなければいけない。そうすれば、ときには天才に勝ち、最強の事業家に変身することさえある。凡人は凡庸さに安住していてはダメなのだ。凡人は周りから叱咤激励され、凡庸さを克服し、凡人から脱しなければいけない。凡人は生きるのが大変なのである。なんで非凡な人たちにそこまで言われないといけないのかと腹を立ててもおかしくないのだが、凡人は我慢する。

ずいぶん窮屈な話である。そのままではダメだと言われるから、凡人には二つしか選択肢がない。凡庸さを克服するために日々努力して精進するか、凡庸さを受け入れてあるがままに生きるか。読者のみなさんはどちらを選ばれるだろうか。

どうやら世の中の凡人の多くは前者を選んでいるようだ。だから右で紹介したようなタイトルの本が売れる。どうにか業績を作りたい、他人に評価されたい、一流になりたい、といった欲求が凡人の中にあって、その欲求を満たそうとする。凡人でも努力次第では一流になれる、あるいは一流に伍することができると信じたい。でも、一流の人と仕事をすれば分かるように、一流と凡人との間には埋め難い溝がある。もう努力ではどうしようもない開きがあるのだ。一流の人たちが凡人に向かって、あなたはそのままではいけない、もっと努力しなければいけない、と口角泡を飛ばすから、つい凡人はその主張を真に受ける。もっと努力しなければと反省する。

そもそもなぜ凡人は凡人のままではいけないのか。凡人が凡人のままではいけない理由があるのか。本来、そんな理由はないはずである。どう生きようと凡人の勝手である。しかし社会がそれを許さない。能力主義と自己責任がベースにあるから、結局、凡人が凡人のままで何ら問題ないと考えては都合が悪いのだ。都合が悪いから、非凡な人が活躍する仕組みが出来て、凡人が非凡な人に憧れるという構図になる。だから凡人も努力すれば、非凡な人のように社会で成功し、他人に何かしらの影響を与え、充実した人生を送れるというメタメッセージが世の中に蔓延《はびこ》る。そうありたいという欲求を焚き付けるのだ。はっきり言うが、そうした欲求が満たされることはない。

凡人は「影響力が皆無のまま一生を終える人」のこと?!

いくぶん気分が沈んだところで、凡人とはどういう人なのかについて考える。ユニークな語義解説で定評のある『新明解国語辞典』(第八版)を引いてみる。凡人はこう定義されている。

自らを高める努力を怠ったり功名心を持ち合わせなかったりして、他に対する影響力が皆無のまま一生を終える人。

この定義を読めば、普通は笑うはずである。笑うということは自分がここで定義されているような凡人ではないと思っているからである。さすがに影響力が皆無のまま一生を終えるなんてことはないだろう——そう思ったはずである。

自分はそれなりに自らを高めようと努力しているし、人に評価されるようなことをしたいと思っている。自分を振り返り、全く努力せず、功名心も持たないなんてことはない、と安心する。ましてや「影響力が皆無」なんてことはあり得ない。で、こう思う——自分は凡人ではない、よかった、と。

右の定義に倣えば、そもそも本を読んで自らを高めようとするような読者は凡人とは言い難い。だから本書を読んでいる読者のみなさんも凡人ではない可能性がある。

しかし、右の定義はあくまで非凡な人によって書かれた凡人の定義に過ぎない。読む人をクスリと笑わせる仕掛けが施されている。「努力を怠ったり」で、他にも凡人の特徴が続くと予感させる。功名心を「持ち合わせなかったりして」というシニカルな言い回しで凡人に呆れ返る辞書編纂者の顔が浮かぶ。影響力が「皆無」と来て、読み手はぷっと吹き出す。そのまま「一生を終える人」と締めくくられて、その突き放しぶりに声を出して笑ってしまう。最初から笑わせようとしている定義なのである。

だが、凡人諸君よ、騙されてはいけない。この定義は、自分は凡人ではない、と思わせて凡人を安心させてしまう、まやかしなのだ。だからもっとリアルに凡人を定義し直す必要がある。

凡人が凡人を定義し直してみよう。

するとこうなる。凡人とは、それなりに努力はするが、身を削るような徹底した努力はやろうと思ってもできず、功名心がゼロというわけではないが、別にそこまで名を上げようとも思わず、まずまずの人生を送り、人に影響を与えずに人生を終えても仕方ないと腹を括《くく》っている人。こう定義すると、自分が凡人だと自覚する人はぐんと増えるはずである。そもそも影響力というのがよく分からない。かつては影響力のあった人でも、最後は凡人で終わることだってある。こればかりは本人にもどうしようもない。

問題は、凡人として生を全うすることが世の中でタブーとされている点にある。大学も同じである。大学生に向かって、君たちの多くは凡人なのだから、勉強はそこそこにして、若いうちに凡人らしく生きるための術を身につけたほうがいいよ、などと言えば、学生を馬鹿にしていると言ってハラスメントで訴えられるかもしれない。これは真っ当な訴えである。学生はまだ若いのだから未来がある。その未来を奪ってはいけない。事実そうである。だから大学教員は学生に向かって、諸君、凡人として生きよ、などというメッセージを発してはいけない。タブーなのである。

ところが、大学を卒業して社会に出ても、凡人らしく生きろ、と言ってくれる人はまずいない。いないから、平凡だろうが非凡だろうが、皆努力するのが当然だと思い込むし、他人にもそう言われる。しかし凡人の私に言わせれば、これは全部ウソである。日々ウソを聞かされているうちに、凡人の自覚が一日一日と先延ばしにされる。

凡人への一歩は四十歳を過ぎてから

とは言っても、十代から三十代までの人は平凡や非凡について考えなくていい。先にも書いたように、若い人には未来がある。未来があるというのは可能性が開かれているということだ。何かになろう、何かを成し遂げようと努力すれば、その何かになれるかもしれないし、何かを成し遂げられるかもしれない。だから若い人は本書を読む必要はないと書いた。いや、若い人は本書を読んでもよく分からないはずである。そもそも凡人を自覚できていないのだから。でも、四十を過ぎたあたりで、多くの人は自分の能力も人生もつくづく平凡だと気づく。それに気づいていないのは非凡な人だけである。

自分の能力や人生が平凡だと自覚している人は、正真正銘の凡人である。凡人の資格を有すると言っていい。

凡人の資格に、才能も努力も根性もいらない。ああ、自分は平凡だな、としみじみ思えば、れっきとした凡人である。

それでも凡人の定義にまだこだわる人がいるかもしれない。そういう読者のために凡人をもう一度定義する。先ほどは国語辞典の定義に引きずられたが、今度はもっと自由に定義してみる。凡人とは、特別な才能を持たず、とてつもない運にも恵まれず、大いなる努力を継続できず、油断するとつい怠けてしまい、自分の凡庸さが身にしみてときに絶望的な気分になるが、かと言って大きな仕事をなし遂げるために必要な根性を持ち合わせていない人である。要するに、ほどほどの人生を歩んでいるのが凡人である。だから私たちの大多数が凡人なのだ。

凡人であることを受け入れる覚悟

とはいえ、凡人は全く努力しないわけではないし、功名心が欠如しているわけでもない。凡人はどうしても上を見る。上を見て、あそこに登りたいと願う。願うが行動が伴わない。行動が伴わないから、人生の大半を凡人のまま生きることになる。

ここまで読んだ読者はだいたい見当がついたと思うが、それでいいじゃないですか、というのが私の言いたいことである。

凡人でありながら凡人を脱しようとするような倒錯した生き方はやはり不自然である。こう考えてみてほしい。どれだけ社会的に成功しても、最後は病気になって死ぬのだから、平凡も非凡もへったくれもない。どうせ凡人として一生を終えるのだから、四十を過ぎたら凡人として健やかに、軽やかに生きるための術を身につけておくほうが大事である。ところが、凡人として生きるための極意は世の中で教えられているようで教えられていない。もちろん教育の現場でもそうである。教えられていないが、平凡な人は四十を過ぎれば、なんとなく凡人の生き方について考えるようになる。

凡人の生き方の極意を身につけるために、まずは自分が凡人であることを受け入れる。しかし並の凡人にはなかなか難しい。凡人だからこそ自らの凡庸さを受け入れにくい。凡庸さに安住していてはダメだというメッセージが社会に蔓延しているから、平凡なままでいることに不安を覚える。でも、それは他人の評価を気にしているからである。他人に評価されたいと思って自らを奮い立たせたところで、非凡の人の努力はできないのが凡人なのだから、自分は凡人だと受け入れるしかない。受け入れてはじめて凡人として生きる覚悟ができる。凡人の覚悟——いいフレーズだと思いませんか。

私という「ブレない凡人」

凡人として生きる覚悟を持ちましょう、と提案するからには、当然、著者である私が凡人でなければ話にならない。非凡な著者が、凡人であることを受け入れよう、などと言ったところで説得力はないし、そもそも凡人はそんな提案に耳を貸さない。

あまり赤裸々に語ると周りの人に迷惑をかけるので、端折って話すけれど、私もまた正真正銘の凡人である。

私は自分の凡庸さを知り尽くしている稀有な凡人である。なぜ稀有なのか。大半の凡人は自らの凡庸さと向き合わないからである。すぐに一流に憧れて、自分もなれるかも、と密かに期待してしまう。これも凡人の性《さが》である。私はその点でブレない凡人である。

もちろん自分の人生もまた平凡だと自信を持って断言できる。私があまりにも堂々とそう断言するから、そんな人生で幸せなんですか？　と聞かれることがあるが、私はそもそも幸福に関心がない。幸せになろうと思って生きているわけでない。じゃあ、何のために生きているのか。理由なんてない。生きているから、としか言いようがない。それでも楽しいことはある。

平凡な人生を健やかに軽やかに生きるにはどうすればいいのかと考えるのは楽しい。考えると言っても、それればかり考えているわけではないし、この先も同じように考え続けるという保証はない。あくまでも現時点ではそうなのである。だが、大多数の人が凡人なのだから、凡人について考えることは大事な仕事だと思っている。

それでもまだ読者は心配するかもしれない。私の職業が大学教員だから、世間から見れば、凡人ではないのではないか、と。そう訝《いぶか》るのも当然である。だが、学者もいろいろである。今では古い小説となったが、アメリカ人作家ジョン・ウィリアムズ（John Williams）の小説*Stoner*（一九六五年、邦訳『ストーナー』、東江一紀訳、作品社、二〇一四年）では平凡な学者が哀愁たっぷりに描かれている。主人公ストーナーに私は深く共感する。その私はというと、研究者としては平凡以下である。しかしそこまで自己評価を下げると、平凡ですらなくなり、凡人を論じる権利を剝奪されかねないので、少しかさ上げして平凡な学者ということにしておく。自らの平凡さをよく分かっている凡人である。

両極端な両親（ともに凡人）

そもそも凡人の私が大学教員になったのは、若いときに出会った人に一流の人が多く、その人たちの影響を受けて研究の真似事をしてしまったからである。恩師に恵まれたと言えば聞こえはいいが、それで自分も大学教員になりたいと若い頃に思ってしまった。今思えば、そのせいで自分の凡庸さに気づくのがずいぶん人より遅れてしまった。なりたい職業につけたのだから後悔はしていないが、凡人が大学教員になったのだから、肩身の狭い思いをすることが少なくない。それは私個人の話なので、読者の関心事ではない。

今思えば、そもそも両親が極端だった。ここでその話をしようと思う。

私の親は二人とも兵庫県生まれで、姫路に住んでいる。二人は長年小学校で教員を勤め上げ、今は七十代半ばで好きなように生きている。で、何か突出した能力のある非凡の人かというと、私が凡人なのだから、両親も凡人に決まっている。私はそう見ている。

だが、夫婦共々凡人だからと言って同じ考え方を持っているわけではない。むしろ対極である。たびたび両者は真っ向から対立する。

「分相応に生きろ」――凡人主義者の母

子供時代に母に勉強しろと言われたことは一度もない。それは私が勉強していたからではない。まったく勉強していなかった。にもかかわらず勉強しろとは言わなかった。大人になって、なぜ言わなかったのかと聞いたら、「あんたは私の子。凡人なんやから、勉強してもしなくても同じ。だから言わなかった」と言い返された。これが私の母である。

そういえば、母が本を読んでいるところをほとんど見たことがない。学校の先生なのだから本くらいは読んでいいんじゃないか、と子供心に思ったが、なぜ読まないのかと聞いたことはない。私が中学生になり、少しは勉強したほうがいいだろうと思い、勉強のスケジュール表のようなものを作ってみたものの、肝心の勉強が継続しない。母に相談すると、「私も中学生の頃に同じことをしたけど、続かなかった。わたしたちは凡人やから仕方ない」と返された。

この母の口癖は、「分相応に生きろ」である。人には分があり、それをわきまえて生きるのが基本だ、とことあるごとに言う。若い頃の私はこの母の口癖が嫌だった。そらそうでしょう。身分制度が残っているわけでもあるまいし、なぜ自分の分を定め、それをわきまえる必要があるのか。我が子に言うことなのかと不満に思った。この「分相応」を投げかけられるたびに私は不愉快になった。不快な顔をする私に母は笑いながら「あんたは凡人なんやから、凡人らしく生きればいいんや」と繰り返した。

そういえば、子どもの頃、母に「あんたはほんまにアホな質問をする子やな」とよく言われた。確かにアホな子だったし、そのアホさは大人になっても変わらない。今では同じことを妻によく言われる。そういう母もアホなことを言うことがある。瀬戸内海に面した町に住んでいるので、万が一津波が来たら二階に逃げるんよ、と広島訛《なま》りで念を押す私の妻に、母は「津波が来ても逃げへんで。そのまま流されるから」と平然と答える。妻は絶句する。いかにも私の母らしい。何かに抵抗するなどということは一切しない。母は面倒なことや努力を要することを徹底的に回避する。努力してもしなくても人生は大差ない。人生は何事もほどほど。普通が一番いい。それが凡人。これが母の持論である。この母のことを凡人主義者と私は勝手に呼んでいる。

「凡人こそ努力すべき」――努力主義者の父

夫婦とは面白いものである。似たもの夫婦もいるが、私の両親は違う。昔からである。よくそれで夫婦としてやっていけるな、と思うくらい違う。父はというと、母の大嫌いな努力を美徳とする。

父は団塊世代のど真ん中の昭和二十三年生まれ（母は翌年の一月生まれ）。父はとにかく何か目標を掲げて努力し、日々向上することを生きがいとする。六十で定年退職した後は、私の高校時代の恩師（御年八十七歳）のご自宅に毎月お邪魔して古代ギリシア語を教わり、日々原文で新約聖書を読んでいる。かれこれ十年以上続いている。それで止まらないのが私の父である。昨年から私の大学の恩師（同じく御年八十七歳）の謦咳に接することになり、二か月に一回やはりご自宅にお邪魔してウェールズ文学の講義を受けている。マンツーマンの講義を受けたら、数日以内に感想文まで書いて先生に送っている。その大学の恩師と電話で話したとき、「君のお父さんはずいぶん勉強熱心だね」とおっしゃった。普通、恩師が褒めるのは教え子の私のことであって、なぜそこに父が登場するのか。不思議でならない。

父はもう七十代半ばだが、息子の高校と大学の恩師にそれぞれ頼み込んでマンツーマンのレッスンを受けている。こういう人はなかなか世の中にいない。少なくとも私は聞いたことがない。ここまでくると本当に私たちと同じ凡人なのかと疑いたくなるが、父は自分が凡人だと思っている。本人がそう思っているのだから、凡人とみなすしかない。

幼少期に貧しい家庭で育ち、なんとかして貧しさから抜け出したいという欲求が父を勉強に駆り立てたそうだ。その話を百遍くらい聞かされた。文化住宅と呼ばれた古いアパートの六畳と三畳の二間に家族六人で暮らしながら、テレビに夢中になっている兄二人を尻目に（父は三男坊）、毛布をかぶって勉強したという逸話である。これがなかなか凄みのある話なのだ。だが、百遍も聞くと、またその話か、とこちらは思う。父は凡人こそ努力すべきと考える。七十代になっても変わらない。この父を私は努力主義者と呼んでいる。

私は、母と同じで、努力を嫌う。力んで何かをしても大抵続かない。かと言って、母の分相応も不愉快だった。努力が嫌いで、勉強も苦手だったから、中学でも高校でも平気で赤点をとった。一度ならず生物の試験で0点をとったとき、教員に答案用紙を投げ捨てられた。教師の子どもは優等生か劣等生というのが教育界の常識で、私は後者だった。

こうして子供時代は、一方で父の努力主義を疎ましく思い、他方で母の凡人主義に顔をしかめ、どっちつかずの日々を過ごした。努力はしないのだが、かと言って自分の凡庸さを自覚しているわけでもなかった。

意地で英語の本を読み続けた青年時代

ところが思春期に入ると、父の影響が優勢になる。家には父が読み散らかした本がたくさんあって、母は本を読まないから、私が手にとるのは父の本ばかり。一九七〇年代の新書ベストセラーだった渡部昇一の『知的生活の方法』(講談社現代新書)をはじめて読んだのは、高校生のとき。今思うと、これがいけなかった。元来怠惰な性格なのに、学者の知的生活に心底惚れたのである。

ここで若者特有の夢が駆動し始める。ろくに勉強しないのに、将来は渡部氏のような知的な生活をしたい、と高校三年生のときに心に念じてしまったのである。念じると、その方向に物事が進む。

同じ頃、高校の担任の先生(先ほどの恩師)が教会の牧師をされていて、内村鑑三の本を貸してくださった。米詩人ホイットマンの詩を解説した本だったと記憶している。それを読んで、今度は内村の*How I Became a Christian*（教文館）という英文著書を自分で購入し、数か月かけて読了した。硬質な英語で書かれているので読むのにずいぶん苦労したが、本の中身より日本人でも英語の本を書けることに驚嘆した。

またその頃に、英語を読むのなら、なんとなく文学だと思った。英語で文学を読めたら面白いだろうなと思ったのである。英語を読めるようになるには、原書を読むしかない。地元で一番大きな書店の洋書コーナーに行っては、英語の本を買って読む。ただし純文学系の小説は難しくて読み通せない。読むのは通俗小説ばかり。英語圏で売れているミステリーやスリラーなど。探偵ものや刑事ものも多かった。こういう本を手当たり次第に読んだ。語彙力がないから、最初は半分くらいしか分からない。分からないのは当たり前だと開き直って最後まで読む。読み通したら、また新しい洋書を買いに行く。そうやって十冊、二十冊と洋書が積み重なっていくうちに、好みの作家が見つかる。今度はその作家の本をまとめて買って読む。だんだん読むスピードが速くなる。

そうやって英語の本だけは読み続けた。意地になって読んでいるうちに楽しくなった。

凡庸さの厚みが増していく——四十代、凡人の目覚め

そんなこんなで、いろいろあって、それから二十年くらいが経ち、大学教員になった。すでに三十代後半になっていた。その間の出来事を書くと長くなるので割愛する。

二十年も経ったのだから、少しは努力するようになった。だが、やはり生来の怠惰さが抜けない。少し気を抜くと漫然と日々を過ごしてしまう。さらに十年が経ち、四十代後半になった。最近は努力とは無縁の生活をしている。それどころか、日々怠惰になっていく。凡人に求められる努力などどこかに吹き飛んでしまった。だんだん凡庸さに厚みが増していく。自分の凡庸さを自覚する機会も多くなる。

若い頃は、自分が平凡だとか非凡だとかは考えなかった。そんな暇はなかった。ところが、四十を過ぎた頃から、自分の立ち位置がだんだん見えてくる。周りの研究者の仕事ぶりを見て、到底自分にはできないなと感じる。若いときのようにがむしゃらに何かに取り組むことが難しくなる。それが分かると、考え方が少し変わってくる。この先、凡庸な学者としてどう身を処していけばよいのか、ということについて考えるようになる。

そこで思い出したのが、母の「分相応」、「凡人らしく生きろ」という言葉である。ちなみに母の名前は「古糸」である。団塊世代として生まれながら明治の女性のような古風な名前をつけられたのは、命名した母の祖母が明治の人だったからで、昔は古い糸も貴重で、少しでも人の役に立つように、という理由だったらしい。母は若い頃、この古風な名前が嫌だったようで、よくその祖母と喧嘩したそうだ。その話も何度か聞かされた。古風な名前をつけられた母が凡人主義を掲げるのは必然なのかもしれない。ともかく、四十を過ぎてから、次第に私の中で母の凡人主義が優勢になった。凡人として健やかに、軽やかに生きるにはどうすればいいのか。そう考えるようになった。こうして私という凡人は目覚めたのである。

老いたらみな凡人

と同時に、凡人の生き方というテーマは私だけが抱えている問題ではないような気がしてきた。世の中の社会人、それも四十半ばにさしかかった人たちは多かれ少なかれ、この問題に逢着するのではないか。出世コースを順調に進み、社会的成功を収める人もいるだろうが、それはごく少数で、多くの中年社会人は自らの凡庸なキャリアに気づく。先が見えてしまう。そうすると、その後の人生について考えるようになる。

そういえば、今や七十代半ばになった母が私によく言うのが、「六十を越えたら、みな凡人」という言葉である。若い頃は、知力と体力に恵まれて、バリバリ仕事をしていても、六十を越えれば、病気になるし、組織から離れていくことになる。社会的役割を果たさなければいけない、というプレッシャーから解放される一方で、その後ろ盾となる社会的地位も失う。そうすると、非凡も平凡もない。皆ただの老人になる、というわけだ。養老孟司のような非凡な老人もいるが、ああいう人は例外で、多くは凡人になる。母は歳を重ねて自らの凡人主義に磨きをかけていたのである。

どうせ皆、年老いて凡人になるのであれば、中年のうちに凡人として生きるための心構えを身につけておいたほうがよい。私はそう思った。

だから本書を執筆することにしたわけである。

II

カズオ・イシグロの面白さ——凡人だから分かること

カズオ・イシグロの作品から凡人について考える

さて、ここまで私が凡人について考えるようになった経緯を述べたが、凡人について考えるには何か材料が欲しい。

材料と言っても、私は文学くらいしか読んでこなかったから、材料は文学に限られる。では、どんな文学が凡人について考える手がかりになるのか。非凡な著者なら、ここで腰を上げ、書棚をくまなく眺めて、凡人を論じるのにふさわしい文学作品を次々と取り出し、それらを網羅的に紹介するかもしれない。それが著者としての礼節だろうと。なにせ本書のタイトルは文学入門なのだから、入門にふさわしい文学を紹介するのが筋である。だから普通はそのための労を厭わない。だが、それは非凡な人の書く本であって、私の本ではない。

では、私はどうするかというと、そんな面倒なことはしない。材料をなるべく少なくしてとりかかる。机に一番近いところに置いてある本だけをじっと見る。そこにカズオ・イシグロの小説が並んでいる。中高年の文学入門にピッタリである。

イシグロは寡作だからなおさら都合がいい。だが、はたしてイシグロの小説は凡人について考える上で本当に参考になるのか。それはやってみなければ分からない。

イシグロの非凡な経歴

イシグロの小説を取り上げて凡人について考える前に、イシグロのことを少し紹介しておきたい。イシグロの名前はご存知の読者も多いだろう。彼の経歴はどうだろうか。知らない読者のために少し紹介する。ここは読み飛ばして構わない。

彼は一九五四年に長崎で生まれた。五歳のとき父親の仕事の関係で、一家で英国イングランド南部のサリー州にあるギルフォードという郊外の町に移り住む。祖父母から日本の漫画を送ってもらい、日本との接点を保ちつつ、家庭内では日本語で会話をしていたようだが、学校が始まると外では英語漬けになるので、次第に家庭の中でも日本語と英語がちゃんぽんになったようである。

十代半ばからシンガー・ソングライターになることを夢見て作詞に励む。ケント大学で英文学と哲学を専攻し、卒業した後もしばらく作詞を続けたようだが、なかなか芽が出ず、二十代半ばでその道は諦め、イングランド東部のノーフォーク州にあるイースト・アングリア大学大学院の創作科に入学し、一年間、みっちり小説の創作に専念する。

ここからの活躍が非凡である。まず大学院時代に書いた短篇が数篇、短篇アンソロジーに掲載されたのを皮切りに、大学院時代に執筆した中篇小説を加筆して、一九八二年、初の長篇小説『遠い山なみの光』を上梓する。その翌年には、英誌『グランタ』に「最も優れた若手英国人小説家」の一人に選ばれる。一九八六年に上梓した長篇第二作『浮世の画家』は英国最高峰の文学賞ブッカー賞のショートリストに選ばれ、三年後に第三作『日の名残り』で同賞を受賞する。同年には三十年ぶりに日本を訪れ、日本の雑誌のインタヴューを受けたり、故郷長崎を訪問したりした。

その後も小説や脚本、ときには短篇を書いて、二〇一七年にはノーベル文学賞を受賞した。

非凡人を凡人に格下げするイシグロの小説

ざっと経歴を紹介したが、その経歴から分かるようにイシグロは非凡である。今さら彼のことを非凡などというのは滑稽かもしれない。それに非凡だろうが何だろうが、肝心のイシグロの小説の何が、凡人について考えるための手がかりとなるのか。

一言で済ませば、彼は非凡な主人公を凡人に格下げするのが上手い。彼の小説では、凡人も非凡人も同じなのである。非凡の主人公がどう足掻いても最後は凡人になる。だから結局、彼の描く人物はどんなキャラクターでも最後は凡人になり下がる。私たち凡人の参考にならないわけがない。

「ささやかな満足感」――『生きる LIVING』のメッセージ

今年（二〇二三年）、イシグロ脚本の映画『生きる LIVING』（原題*Living*）が日本で公開された。あの黒澤明の『生きる』（一九五二）と同じ一九五〇年代を描くが、舞台は同時代のロンドンである。主人公ウィリアムズは、黒澤版の主人公渡辺と同じく、長い間生きていなかった。黒澤やイシグロの考える人間らしい生き方をしていなかった。それが、ある日を境に生きるようになるという話である。

公務員のウィリアムズは何十年も淡々と日々の仕事をこなしてきた。ルーティン化された彼の仕事のなかに感情が入り込む隙はない。ところが、ある日医師に余命六か月を宣告される。彼は動揺する。仕事を無断欠勤するようになり、元同僚の若い女性と遊んでなんとか気を紛らわせようとするが、それでも何か満たされないものがある。最終的に彼が気づくのは、仕事を通して市民の幸福に貢献することでしか自分は満たされないという感情だった。

そこで今度は心機一転、職場に戻り部下たちを巻き込んで、市民たちが求めていた子どもたちの遊び場づくりに奔走する。その計画が実現し、最後は深夜に遊び場のブランコに乗ったまま亡くなる。

興味深いのは、映画の最後で主人公ウィリアムズが若い同僚に向けて書き残した手紙の文面がヴォイスオーバー（彼の声）で語られる場面である。この場面は黒澤の『生きる』にはない。ここで、イシグロは観客に向けて明確なメッセージを送っている。

そのメッセージは、自分の仕事が評価されたとしてもそれは一時的なものであり、またそもそも評価されないこともあるのだから、とにかく仕事から得た「ささやかな満足感」(modest satisfaction）を時々思い出して、惰性に流されずに生きることが大切だ、というものである。少なくとも私はそう受け取った。

このメッセージはシンプルなようで、結構深い意味を内包しているように思われるのは、私がイシグロの作品をそういうふうに読んでいるからであって、必ずしも普遍的な読み方ではない。

まず他者の評価が度外視されている。もちろんウィリアムズは市民のために奔走して遊び場づくりを実現して感謝されている（そういえば、イシグロの『浮世の画家』でも公園づくりに奔走したスギムラという男が語り手によって言及されている）。感謝されているわけだから彼のささやかな満足感が他者の評価と無縁だという気はさらさらない。でもとにかく自分のやりたいことをやって満足を得ていることは確かである。

もちろん子どもたちの遊び場づくりに奔走するというプロットは元の黒澤映画で展開されたものだから、イシグロのオリジナルのアイデアではないが、社会に貢献して満足感を得ようとするという点は、いかにもイシグロらしいキャラクターだと言える。

もう一つイシグロらしい点がある。黒澤の映画では主人公渡辺は自身の事業について振り返らない。事業に取り組み始めた次の瞬間、渡辺の葬儀の場面に転換する。この場面転換は『生きる LIVING』でも同じだが、ウィリアムズは自らの事業の行く末まで考えている。そこが違う。評価されたとしてもそれが一時的なものだと分かっている。世の中の評価は変わる、評価が当てにならないということを前提にしている。ウィリアムズの手紙の文面は、はっきり言えば、イシグロの声だと言ってもよいくらいである。評価にこだわったところで評価されないこともあれば、評価されてもすぐに忘れられてしまう。だから、そんなことにこだわっても仕方ない。イシグロはそう言っているのである。

では、どうやって生きればいいのか。自分が確かに覚えた満足感、それを心の拠り所にし、ときどき思い出して、立ち止まらずに前を見て生きろ、ということである。なぜこのメッセージが深いのか。それはこれしか進む道がないことをイシグロが分かっているからである。

他者の評価を当てにして生きようとすれば、評価されなくなったとき、あるいは評価されないときに生きていけなくなる。凡人もそのことはよく分かっている。では、他者の評価とは別に何を拠り所にして生きていけばいいのか、という疑問が出てくる。これに対する答えは、自分の中に見つけ出すしかない。周りを見ても答えは見つからない。ましてや非凡な人を見ても仕方ない。では、自分の中にどのような答えがあるのか。それは、かつて自分が満たされたという感覚である。もちろんこの感覚は永続しない。すぐに忘れる。だからウィリアムズは、ときどき思い出せ、と言っているのだ。そういう瞬間があったことを忘れるな、と言っているのである。

いじわるなイシグロ

『生きる LIVING』だけ観れば、右のように考えられる。でも、イシグロの文学を読むと、このメッセージに何か違和感を覚える。

実際、この映画を観て私は考えてしまった。イシグロの過去の小説を振り返ると、この映画には漠然と違和感を覚えたからである。

イシグロの初期小説、特に先ほど触れた長篇第二作『浮世の画家』と次の『日の名残り』を思い出すと、確かに語り手たちは満足感に浸っていた。たとえば、『浮世の画家』の主人公かつ語り手であるオノの場合。彼は元画家で、かつて多くの弟子を抱えていた。その弟子たちから崇められた時代を回想してオノはこう語る——「私は心地良い満足感を覚えた」(*An Artist of the Floating World*、二五頁)。しかもこの満足感は一回ではなく、複数回言及される。弟子たちとたびたび飲みに行ったミギヒダリという居酒屋のオープンにも自分が少なからぬ貢献をしたことを回想して、やはり「今でもそのことを思い出すと、ある種の満足感が湧いてくる」（七五頁）と述べている。

ところが、イシグロの主人公の満足感はどうみても読者が共感できるものとして提示されていない。理由は簡単で、彼らが回想する過去の満足感は語りの現在において、その根拠を完全に失っているからである。語り手たちの満足感を否定する出来事が物語の中で起こっている。だから、オノの場合、戦時中にオノが描いた絵の価値は戦後になって弟子たちによって否定される。だから、オノが過去を回想して満足感に浸ろうとも、読者は安心してオノの満足感に共感できない。戦後になって、オノは自らの絵が国威発揚を促したものであり、それが国民にマイナスの影響を及ぼしたと（本人にすれば潔く）認め、そこでも、「人生の中で自らが犯した過ちを受け入れることで得られる満足感と品格というものが確かにある」（一二四頁）と語って悦に入る。ここでも読者は訝しげに語り手を眺める。こういう語り手をイシグロは繰り返し描いてきた。いじわるな目線を自らの語り手に向けてきたのがイシグロである。だから私は映画『生きるLIVING』を観て違和感を覚えた。「満足感」（satisfaction）という言葉に警戒したのである。

イシグロの作品の理屈

イシグロが初期の小説でこういう語り手を描き続けたのは、イシグロ自身の警戒心による。つまり、人は他者によって評価されると、ともすればひとり悦に入る。こういう心持ちを英語ではcomplacencyという。自己満足に浸る。それをイシグロは警戒した。ところが、他者の評価そのものが油断のならないもので、すぐに変わる。評価されて満足感を覚えても、評価自体が変わるので、満足感も過去の一感情に過ぎないことになる。だから、他者に評価されたからと言って安心してはいけない。そう自分に言い聞かせて初期の作品を書いたのがイシグロなのである。ずいぶん回りくどいことをする作家だと私なんかは思う。

重要なのは、イシグロの小説では、そうした満足感以外に語り手たちを支えるものが用意されていない点である。自身の過去の仕事を否定しながらも、少なくともその過去において自分が覚えた満足感だけは間違いのない感情だったと語り手たちは自らに言い聞かせる。たとえその感情の根拠が否定されたとしても。

ささやかな満足感の背後には、巨大な不満が潜んでいる。満たされない感覚、充足しない感覚が隠れている。どちらかといえば、そうした感覚を持って生きる時間のほうが長いから、ささやかな満足感を思い出して前に進むしかない。

そう考えれば、自身の過去を否定しようが肯定しようが、結局、人が拠り所にできるのは他者の評価ではなく、自身の感情だけとなる。そうすると、過去のイシグロの語り手たちも、映画のウィリアムズも、同じ結論に至らざるを得ない。

他者の評価よりも自分の満足感を——凡人へのメッセージ

この満足感を裏返せば、イシグロの描く人間は、ただ生きることに対する強烈な不安がある。なんとかしてより良い人生を送りたい、自分の人生を充実したものにさせたいという欲望が渦巻いている。だからイシグロの登場人物は他者の評価にこだわる。評価によって得られる満足感を求めようとする。

『生きる LIVING』のウィリアムズもその点は変わらない。変わらないが、彼はイシグロの小説に出てくる人物が知らなかったことを知っている。世の中の評価は変わる。変わる世の中に基準を置くのではなく、自分の感情というどこまでも不確かなものを頼りに生きるしか他に方法はないという感覚をウィリアムズは持っている。だから若い同僚に向けて手紙でそう語っている。これまでのイシグロのキャラクターにはない要素である。

しかし凡人の読者は別の違和感を覚えるのではないか。なぜイシグロの語り手はそこまで他者の評価を気にするのか、と。他者の評価を最初から期待できないことは凡人であれば誰でも知っていることである。そんなことは言われなくても分かっている。イシグロのような非凡な作家は凡人からすれば当たり前のことをわざわざ小説で確認しないといけない。他者から評価される非凡な人の宿命である。

だから凡人にとって参考になるのは、最終的に自分の中に湧き起こる感情しか拠り所はないという点である。他人がどうのこうのではなく、自分が満たされればそれでよいのであり、その根拠がどうのこうのと問題にするのは非凡な人が勝手にやっていればよい。それがイシグロの小説から凡人が得られる学びの一つである。イシグロはともすれば非凡の人を持ち上げて最後に突き落とすことで凡人に格下げするところがあるので、非凡な読者は他人事ではないと考え込んでしまうが、凡人の読者はそもそも持ち上げられることもないのだから、そんな心配はせずに笑って読めばいいのである。

なぜイシグロの文学に惹かれるのか——『浮世の画家』を読んで

大学院の授業で、前期は院生とイシグロの『浮世の画家』を英語で読んだ。受講している二人の院生はいずれも日本文学が専攻である。こちらが英文学の講義をするよりも、むしろ日本文学を専攻する二人が日本にルーツを持つイシグロをどう読むのかということのほうがはるかに面白い。そこで、イシグロの初期作品で、日本を舞台にした右の作品を読むことにした。院生の二人はとても勉強熱心で、わざわざ原書と邦訳の両方を読んでくるので、原文ではこうだが、翻訳ではああだ、といった議論ができる。英語しか読まない私よりもよく読めている。

この大学院の授業で、院生から聞かれたことがある。「先生はなぜイシグロの文学に惹かれるのですか」という質問だった。そんなことは考えてもみなかったので、うまく答えられなかった。

そこで自分なりの答えを考えてみたい。彼の文学全体を議論すると長くなるので、『浮世の画家』の面白さに絞ってみる。

ただし面白さというと、何だか軽くて楽しい雰囲気をイメージされるかもしれないが、イシグロ文学の本当の面白さは、どちらかというと重いものである。

イシグロの超越的視座

『浮世の画家』の主人公は、何かしらの強い信念を持っている。たんに信念を持つだけでなく、その信念が時代を超越すると信じている。普遍を志向するのである。ところが、時代が変わると、その信念を保てなくなる。要するに、時代に取り残されるのだ。

イシグロの小説の語り手が信頼できないと評されるのは、自分の信念を保とうとしてもそれを支えきれないから、どこかで過去の自分と現在の自分との間にズレが生じる。語り手は帳尻を合わせようとするが、どうしても無理が出てくるから、語りに嘘やごまかしが出てくる。

私がイシグロの小説に惹かれるのは、彼が語り手の超越志向を描きながら、その超越が不可能であることを語り手に徹底的に分らせようとするからである。つまり、時代や場所に拘束された人間をイシグロは描く。とくに『浮世の画家』と次の『日の名残り』はその傾向が顕著である。第四作以降は趣が変わるので、ここでは議論しない。

このようにイシグロは、ある状況に置かれながらも、その状況を俯瞰してみることのできない人物を俯瞰して描くのが好きなのだ。この図式は、別のところでも書いたが、アメリカの批評家スタンリー・フィッシュにも見られる。すなわち、大多数の人は超越的な視座を得られないとしながらも、イシグロとフィッシュは超越的視座からそれを語る。小説家と批評家とでは語り方に違いがあるものの、彼ら自身は超越的な視点から語りながら、一般の人間がその視点を獲得し得ないことを前提とする。凡人には到底真似のできないことをやってのける。

変わり続ける時代の趨勢

流行は一時的で、いずれは過去のものとなる。絶えず進行する現在では、思想や体制は時の試練を受けて変わっていく。常に同じでいることはできない。

諸行無常。ゆく河の流れは絶えずして、しかも、もとの水にあらず。

変化していく中で、人は何を求めるのか。

変化し続けるものを追い求めることもできるが、いつまでもそんなものを追い続けることはできない。若い人であれば、体力も知力もあるので、そういうことは可能かもしれないが、歳を重ねればだんだん変わらないものを求めるようになる。

話は脱線するが、人は自分より若い世代の文章を本当に理解できるのだろうか。それを言うなら、自分より年上の人の文章を理解できるかどうかも怪しい。しかし、時代は後ろ向きに眺めることができるので、過去の人の文章はその過去の文脈の中に置いて読むことが原理的には可能である。それに対して現在生きている人の文章、とくに若い人の文章は、現在という時代の中で書かれるので、読んで理解するのが難しい。新しいことを自分たちが創造し、それを追い続けている間は、その意味が分かるかもしれないが、次第に追いつけなくなり、結局、取り残されてしまう。

しかも厄介なのが、時代に取り残された人たちの思想がのちの世代によって吟味されるわけだから、後出しジャンケンに負けるようなものである。

時代の趨勢によって、過去のものはときに善となり、ときに悪となる。時と場所が異なれば、評価も変わる。

イシグロのオノの評価も終戦を境に変わる。過去の業績が否定される。しかしそれを言うなら、オノも先人の業績を否定した。

若い頃、オノは彼の師であった画匠モリヤマのもとを去る。政治情勢から隔絶した浮世絵の世界にとどまることに罪悪感を覚えたオノは、モリヤマの世界にとどまり続けることはできなかった。なぜなら、幼少時代に商売人の父から言われた「役立たずの人間」になる「弱さ」があるという言葉が脳裏をよぎったであろうから。その父の人生を否定し、それを超越したいと望んだはずのオノは、父が否定した「役立たずの人生」を歩むことに耐えられなくなる。これがモリヤマのもとを去った理由である。

功利主義的な父を否定し、次に芸術至上主義の師を否定したオノは、否定を反復することで、結果的に父の人生観を肯定してしまう。しかし、そのことに気づかないオノは、戦争画家として戦時中に活躍することになる。自身の絵が国家に資すると考えた。自分の仕事が世間に役立つと信じて疑わなかった。しかしその国家の理想が戦前の軍国主義から戦後の民主主義へと一大転換すると、オノは時代についていけなくなる。しかし日本国民は違った。その変わり身の早さと巧みさを批判したのは、丸山眞男と山本七平である。

やや先走った議論をしてしまった。まずはオノの修業時代を見てみよう。

もともとオノは西洋人向けの日本画を大量生産する工房で働いていた。しかし次第に芸術そのものを追求したいという欲求に捕らえられるようになる。そこで浮世絵画家であったモリヤマの門を叩き、芸術主義へと傾く。

しかし時代は変わる。次第に戦争の気配が足音を立てて近づく。そこに現れたのがマツダだ。マツダに、モリヤマの快楽主義的な芸術観が世間の情勢から乖離していることを言い当てられたオノは、国家のために画家として活動することに新たな意義を見出し、モリヤマのもとを去る。芸術から国家へと貢献する対象を変えたのである。

世間の流れに合わせるか、それとも芸術を芸術として追求するのか。世間から完全に目を背けることもできず、しかし、芸術の役割を否定することもできないオノは、ハムレットのように逡巡するも、最後は芸術よりも政治を優先させ、芸術愛よりも愛国心を優先させる。これはオノだけの問題ではない。

浮世の世界は乗り越えられるか

この小説はいくつもの層でできている。会話や出来事が循環するように反復される。少年オノは母に向かって、商売人の父のような人生を「乗り越える」(四七頁) と言い切る。父のような金に執着する仕事ではなく、より次元の高い仕事をしたいと思う。しかし息子に向かって母はこう切り返す。世の中には「退屈で生気のない」(四八頁) ように見える仕事もあるが、歳を重ねれば、それこそがあなたにとって大事なことだと分かるはずだ、と。

それでもオノは父の仕事を避け、画家の道に進む。このとき彼の運命は決まったと言ってよい。父を殺め、母を娶ると予言されたオイディプスが、赤ん坊のときに両親の統治する国から遠く離れた場所に捨てられながら、羊飼いに拾われて成人したのち、予言通りの行動に出てしまうように。つまり、父の人生を「乗り越える」と豪語したオノは、父が嫌悪した芸術世界を体現するモリヤマのもとを去って戦争画家となり、世の中に役に立つ人間に変わる。その彼が弟子たちに向かって語った言葉は、「時勢を乗り越えろ」(七三頁) だった。そのオノはもちろん時勢を乗り越えるどころか、時代の激流に翻弄される。浮世の世界を完全に超越することはできない。それが浮世の必然である。浮世は変化する人間の世界なのである。ここにイシグロの基本的なものの見方がうかがえる。

しかしこれは一面的な見方に過ぎない。もう一つ重要な面がある。それがオノの以下の理屈である。日本は確かに戦争に負けた。自らの画家活動によって多くの人を戦争に駆り立てたかもしれない。だから自らにも非があった。しかしだからといって、日本中が戦前の価値観をすべて否定して、アメリカ流のやり方を盲信していいのだろうか。水とともに赤ん坊まで流してしまってはいないだろうか。これがオノの理屈である。

オノは確かに自分の過去を否定する。しかし戦後の日本にも批判の目を向ける。このオノをたんに時代遅れの人間として一蹴してよいのかという疑問が私の脳裏から離れない。

イシグロのパラドックス

もう一つ、それはイシグロがどこから見ているのか、という先ほどの問題がある。

イシグロは、オノと社会を描くことで無常を描きたかったのだろうか。社会の価値観も人の価値観も変わると言いたかったのか。常なるものを志向しながら、無常、すなわち常はあり得ないという真理を常なるものとして提示しているとすれば、彼の世界観自体も無常という真理によって試されることになる。ここにイシグロのパラドックスがある。

「乗り越える」(rise above) とは、このパラドックスを超越する態度である。何かによって規定されない超越的な視座をイシグロ自身も志向している。

しかし繰り返しになるが、無常という真理を常なる真理として提示する限り、その真理もまた無常にならざるを得ない。そうであれば、イシグロの超越的視座の希求は、オノが無常の世界で常を希求しようとしてもそれが叶わなかったように、頓挫せざるを得ない。イシグロの文学をメタ的に読むとそういう結論になるのである。

超越志向を避ける態度——凡人へのメッセージ

イシグロはこのように自らの小説の中で語り手の視点とそれを超越する作者の視点の二つを

提示している。小説であるから、作者が俯瞰して語り手を操作すること自体は何ら不思議ではない。しかし作者が語り手を無常の世界に置くとき、その語り手の世界はそのまま作者の世界観に跳ね返ってくる。作者が拠って立つ世界観もまた無常の真理に晒されるのである。こういうところがイシグロ文学の面白さなのである。

では、私たち凡人はイシグロの文学から何を得られるのか。前では、他者の評価ではなく自らのうちに湧き起こる感情しか拠り所とするものがない点を挙げた。

その上でイシグロの無常的世界観と超越的志向を確認したわけだが、そこから何を凡人は学べるのか。凡人は非凡の人のように人生を深刻に考えてはいけない。オノは確かに凡人に格下げされるが、本質的に彼は非凡な人間である。時代に翻弄されるのは、凡人も非凡人も同じであり、だからイシグロの世界では結局、非凡な人間も凡人に格下げされるのだが、ここで読み間違えてはいけないのは、オノはやはり非凡な人間であるという点である。凡人がオノと同一化すると読み間違う。

オノの問題は、父の否定から始まる。父を乗り越えるという野心そのものがオノのキャリアの動機づけになっている。その父の功利主義的価値観を否定し、芸術世界に飛び込むが、今度は戦争という社会的要請に応答して自らの芸術を社会に奉仕させる。しかし結果的にこれが裏目に出る。二重の否定によって父の功利主義的な世界観と戦争画家としての社会奉仕とがパラレルになる。

すると、凡人がここから学ぶのは、安易な超越志向を避けるという態度である。オノやイシグロには用心しなければいけない。人は野心によって現状を打開し、より高みを目指す。これは人間の本能である。しかし、野心も超越志向も、根は同じである。現状を打破して高みを目指すという態度からきている。しかし、これは自らが作り上げた砂上の楼閣を掘り崩す行為となりうる。くしくもオノの母が彼に語ったように、「退屈で生気のない」ことこそが本当は重要なのだ、という言葉のほうに凡人は耳を傾けるべきなのである。この言葉の重みが分かるまで、私はイシグロの小説を何十回と読んできた。

III 読書感想文——凡人だからこそ本を読んで考える

凡人こそ本を読むべきである。私はそう思う。自らの凡庸さを知り、身の処し方を考える手がかりを得るのに、本ほど良いものはない。映像は刺激が多過ぎて内省に不向きである。

どういう本を読めばよいのか。私は日本語の本を大して読んでいないから、気の利いたことは言えないが、試みにこの章で紹介する本を読んではどうだろうか。

この章では私が読んだ書物について感じたことをそのまま書く。

選んだ書物は三冊。日本人を論じた山本七平の『日本人の人生観』、百年以上前に芸術の起源について書いたハリソンの『古代芸術と祭式』、もう一つは現代イギリス人作家マキューアンの小説『土曜日』である。前の二つは日本語で読み、最後のは英語で読んだ。

凡人を意識して選んだ書物ではない。だから凡人とうまくつながらないかもしれない。しかも右の著者たちは非凡な人たちである。非凡な人の本は凡人が人生や芸術や小説について考えるヒントにはなる。ヒントにはなるが、必ずしも鵜呑みにはできない。

だから凡人なりの読み方が必要になる。その例として、私はこれらの書物を読んで感じたことをそのまま言葉にする。そのまま言葉にすることに意味があるのかなどということは考えない。それでも凡人がどう読むのかということについて考える手がかりにはなる。

山本七平『日本人の人生観』を読んで思うこと

非凡の老人、養老孟司が山本七平の著書を読み返しているようである。面白いという。その面白さは、山本が幼少期からキリスト教徒の両親に育てられたことに起因しているという。そこで山本の『日本人の人生観』（講談社学術文庫）という本を読んでみた。

ここで扱うのは同著に収められた「日本人の人生観」という一九七八年に行われた講演をもとにしたものである。当時山本は五十七歳。ＮＨＫの依頼で、日本人論・人生論を話してほしいと頼まれて引き受けたという。私自身は同著を十年ほど前に購入したが、途中までしか読んでいなかった。

今回最後まで読んでみて、養老が面白いと述べている理由が少し分かった気がした。

山本は日本人のものの見方に、自然の流れに身を委ねるという感覚がある、と述べている。日本人は古来、自然に任せるという考え方を持ってきた。鴨長明の『方丈記』も、冒頭は「ゆく河の流れは絶えずして、しかも、もとの水にあらず」で始まる。半ば隠遁した長明は世の中に身を置くのではなく、河岸に立って河の流れを見る。次々とあぶくが浮かんでは消えていくさまを観察している。しかし、山本は、このような長明の立ち位置は本来あり得ない、ともいう。この指摘はよく分かる。私がイシグロの小説を読むときにも同じ感覚を覚える。イシグロの視点は小説ではあり得るが、現実にはあり得ない。

物事を俯瞰するその立ち位置は、状況の変化の外にある。水の流れの中に身を置いているわけではない。

ところが、山本が言いたいのは、日本人の基本的な人生態度はまさにこの方丈記の冒頭で提示される感覚に基づいており、流れに身を任せるのが自然だという見方である。これは、山本によれば、流れに逆らわないので楽な生き方だという。

戦時中の日本人は一億一心で戦い、誰も疑問を抱かずにいながら、戦後は手のひらを返したようにアメリカの価値観に追従した。古くは尊皇攘夷で討幕を掲げ、天皇を格上げしようとした下級武士たちが、ペリーの来港で開国を迫られ、あっさり開国して明治政府に移行した事実と何ら変わるところがない、という。山本に言わせれば、これほど見事に新たな状況に対応できた国民は世界を見回しても他にいない。この日本人の精神に、成り行きに身を任せる、状況の変化に身を委ねる発想が基本的な人生態度として根付いているのだという。

しかし、西洋のキリスト教文化と比較して、山本はこの日本人の態度に文句をつける。日本人は状況に対応する柔軟性を見せるものの、ギリギリまで新しい状況を予測せず、抜き差しならぬ状況に至って変わり身を見せる。戦争がそうだったし、開国もそうだった。自ら変化を先取りし、変化を予測する力を養ってこなかった。だから「一切を外部の変化へと転嫁して、それに対応するという姿勢」（五八頁）になる。それが日本人だという。

翻って西洋のキリスト教文化では、なるがままに状況を放っておくことはしない。西洋キリスト教では、聖典の文は一切変更せず、解釈が変われば、注記という形で残しておく。注記こそがキリスト教の歴史であり、西洋の歴史だという。原文を残すから、時代ごとに注記と原文とを照合することができ、後世の人は歴史の変遷を確認できる。だから西洋人は歴史を持っている。歴史を持っているから、過去の変化を踏まえて未来を予測できるし、その予測に従って現在を制限し、方針をもって現在を生きることができるという。

しかし、日本はそのような記録を残さない。すぐに墨で塗りつぶして、記録（教科書）を改変してしまうから、つい数十年前までどのような価値観を持っていたのかも知らない。知らないから先の戦争も、バカな軍国主義者たちの愚行として片付けてしまう。そうではない、と山本はいう。当時、日本人は皆、戦争を是とし、少なくともそれに対して国民は抵抗しなかった。それは自然の流れに身を任せているからである。なるようになるの精神で生きているから、その戦争がいずれ終わるということ、新たな時代が到来することを読めなかった。戦後になると新たな流れに身を任せる。それを繰り返すのが日本人なのだという。

日本人に必要なのは、歴史を見ることであり、過去を見ることである。そしてその過去を観察することで未来を予測し、その予測に基づいて現在を制御する態度だという。

いまの時代も必ず終わる、終わったときに自分がどうすべきかという意識は、心のどこかにたえず持っていたほうがいい。そしてその終わりを意識しつつ、それによって逆に現在の自分を規制していく。この発想を常に心の中に持ち、それで自己の方針を定めていくのが一番よいのではないか。まあ、私は大体そんな風に考えております。

（七四 - 七五頁）

日本人が空気の支配にいかに弱く、場の空気に抵抗できないかを論じた『「空気」の研究』（文春文庫）の著者の言葉であるだけに、山本の言は重い。

しかし、と凡人の私は思う。山本の言うような一つの時代が必ず終わるという意識を持てたとして、はたしてその意識によって現在の自分を規制することなど本当に可能なのだろうか、と。

いやそもそも河の流れの中に身を置いて、山本が言うように、「過ぎ去っていく両岸を標定しながらそれで〔未来を〕判定する」(七七頁)ことなどできるのか。

歴史の区切りを意識することを日本人が不得意とする根拠として、山本は鴨長明の『方丈記』の冒頭を取り上げ、「歴史を「流れ」という自然現象のように見ている」(五二頁)とし、そこに「「創造・終末」という発想がない」(五三頁)と論じる。だから流れという発想には区切りがないという。それが歴史という意識が日本人に欠如する原因だという。

だが、凡人は西洋と日本とを対置させる山本の視線に違和感を覚える。

そもそも方丈記の冒頭はそのような区切りの感覚の欠如を表すものなのだろうか、という疑念が出てくる。『方丈記』(角川ソフィア文庫)の冒頭はこう始まる。

ゆく河の流れは絶えずして、しかも、もとの水にあらず。よどみに浮かぶうたかたは、かつ消え、かつ結びて、久しくとどまりたる例《ためし》なし。世の中にある、人と栖《すみか》と、またかくのごとし。

河の流れは絶えないのに流れる水は変わる。結局、泡沫にしても、人間にしても、住居にしても、同じものが長くとどまることはない。人と栖は入れ替わる。確かに区切りはないのかもしれない。けれども、「久しくとどまりたる例なし」は永続性を否定する。河岸に立って流れを見ている限り、そこに区切りはないかもしれないが、流れる水がもとの水ではないことは見て取れる。川面に浮かぶ泡沫もそこに長くとどまることがない。いずれ消えていくのである。とすると、凡人の頭に浮かぶのは、現れては消えていくその泡沫そのものである。そこに生の営みの儚《はかな》さが浮き上がってくる。その儚さは何も日本の専売特許ではない。

シェイクスピアは『マクベス』で主人公マクベスに人生の儚さについて語らせている。妻を亡くしたマクベスが独白する場面だ。『マクベス』から原文で引用する。

Life's but a walking shadow, a poor player,
That struts and frets his hour upon the stage,
And then is heard no more; it is a tale
Told by an idiot, full of sound and fury,
Signifying nothing.

——*The Complete Works of William Shakespeare*, The Alexander Text, Collins, 2006, p.1076.

拙訳を付ける。

人生は歩く影に過ぎない。下手な役者に過ぎぬ。
舞台で気取って歩いたり悩んだりして過ごしたところで、
まもなくその声は聞こえなくなる。人生は
愚者の語るお話で、響きと怒りに満ちているが、
何も意味しない。

人生は歩く影のようなものに過ぎず、足音を立てたり大声を出したりする役者のようでもある。だが、時間が経てばその役者の姿は見えなくなり、その足音も声も聞こえなくなる。あれはいったい何の話だったのかと考えてみれば、愚者の語った話に過ぎず、そこに何も意味はない。原文のsound and furyは、二十世紀アメリカの文豪ウィリアム・フォークナーが自作の小説のタイトルにしたことで有名である。

人生が歩く影のようなものに過ぎない、というシェイクスピアの人生観は、村上春樹が新作

『街とその不確かな壁』（新潮社）で引用した聖書の「詩篇」の次の文とも共鳴する。

人は吐息のごときもの。その人生はただの過ぎゆく影に過ぎない。

なんだ、西洋でも儚さは歌われているじゃないか。イギリス文学最古の英雄叙事詩『ベーオウルフ』はどうか。同作は古英語で書かれているが、現代英語訳を引く。

sooner or later every man must leave this transitory life.

——*Beowulf*, Translated by Kevin Crossley-Holland, Oxford University Press, 1999, p.86.

いずれすべての人間はこの束の間の生から去らなければならない。

日本人だろうと西洋人だろうと、人生の儚さを歌う心は同じである。西洋対日本という図式だけでは見落とす点が出てくる。差異は確かに目を引くが、人が共鳴するのは同質性である。だから凡人でも外国の文学を読んで面白いと感じるのである。

せっかく日本人の山本七平の本を読んだのだから、今度は堀田善衛の『方丈記私記』も読んでみようかと思う。これは方丈記の解釈でも解説でもなく、あくまで堀田の経験、とくに戦時中の体験をもとに、『方丈記』から連想される彼の思索が書かれているようだ。

ジェーン・E・ハリソン『古代芸術と祭式』から芸術のことを考える

中野好夫の『文学の常識』（角川文庫）を久しぶりに読み返したら、ジェーン・E・ハリソンの『古代芸術と祭式』が紹介されていることに今回初めて気づいた。そこで『古代芸術と祭式』（佐々木理訳、ちくま学芸文庫）を購入して読んだ。これは古い本で、原書のタイトルは*Ancient Art and Ritual*。初版は一九一三年。百十年前の本である。一九五一年にオクスフォード大学から出版された原書も購入した。

この本で、ハリソンは古代芸術のギリシア劇が古くは祭式にまで遡ると説く。その祭式の起源や派生について論じ、最後は、芸術とは何か、人生と芸術はどう関わるのかを論じている。たいへん読み応えのある本である。凡人が好む、そもそも論が書かれている。

ハリソンの主張はこうである。原始時代の人間が望んだことは二つ。

一つは食物の確保。生存に不可欠な食糧をどう手にいれるかという問題で、それを解決することが人間の本能的欲求の一つであった。

もう一つは、子どもを作ること。子孫を残すという本能的欲求である。

この二つの欲求は動物的本能がもとにある。食物を手に入れることは難しく、四季の巡りと自然は制御できない。それが人間にとってデフォルトだった。したがって、原始の人々は、食物を手に入れられるように願い、そのために踊り、食物を手に入れれば、また踊った。その踊りが反復されて祭式となる。祭式となってようやく神の存在が想像され、そこから祭式は形式化されていった。これがハリソンの仮説である。

さまざまな地域で行われている春祭りは、もともとこうした祭式の名残であるとハリソンはいう。つまり、祭式は神に先行する。この祭式に先行するのが踊りである。

古代芸術のドラマ（劇）で引き継がれている最も古い祭式の名残が、舞唱（コロス）である。古代ではコロスがギリシア悲劇の中心だった。現代人の耳にはこのコロスが不可解なものとして聞こえるかもしれないが、これは劇の発生の初期段階から存在した。その後、一人の役者が生と死の二役を演じるようになる。コロスの一員が衣装を着替えて演じるため、sceneと呼ばれる場所が設置されたが、次第に宗教的意味が希薄になると、コロスの円は半円に縮小され、sceneである場所が舞台stageとして大きくなる。

こうしてコロスから演技へと重心が移った。さらに、北方民族が南下して移住してきたことで、住み慣れた土地を遠く離れた英雄が描かれるようになる。そうしてホメロスの『オデュッセイア』や『イーリアス』からこぼれ落ちた話が英雄伝説と結合して、悲劇を作り出した。

ハリソンは、プラトンの芸術模倣説を批判する。模倣説によれば、芸術は現実を写しとったものである。プラトンは現実をイデアの写しと考えた。芸術はその現実を写しとったものだから、芸術はイデアから二重に離れてしまう。だからプラトンは著書『国家』で芸術を代表する詩人を追放しようとした。しかし、ハリソンに言わせれば、芸術の源である祭式は模倣ではなく、食物確保や子作りの願望という人間の感情を表出したものであり、それは表現であって、模倣ではない。

踊り→祭式→ギリシア劇→現代芸術の順に発達した諸芸術は、あくまでも芸術家が、人生・生活から「距離を置き」、人生を一時停止させることで、自らの内面を観照し、芸術家の直感と眼力で、音や絵や言葉で表現するものである。よって、ハリソンは古代祭式と芸術とを区別する。祭式はあくまでも実際上の生活の目的（食糧確保）に基づく行動であるのに対して、芸術はこの実際上の目的から離れたときに生じる。つまり、芸術を「直接行動と縁の切れたもの」とみなす（一二八頁。以下、すべて訳書から引用）。

私はハリソンのいう、芸術とは人生から距離をおいて観照するという主張に興味を覚える。岸に立って川面を眺める鴨長明の視線に通ずるところがある。

ハリソンに言わせれば、ちょうど記念踊りが実際の戦いを模倣するのではなく、戦について人々が感じた情緒を表すものだったように、芸術はあくまで芸術家の内面を提示するものなのだ。芸術家は日常や現実世界から離れることで人生・生活を情緒的に表現する。逆に言えば、日常を送ろうと思うのなら、視野を制限しなければならない。芸術家はその反対を行うのだ。芸術は、現実生活から超然とするから、感情を表現できる。

ハリソンはこう言う――「人生を理解するためには、ましてこれを観照せんがためには、人生である舞唱踊りから脱してはなれたところに立たねばならぬ」(一五八頁)。ハリソンは繰返し芸術には人生との距離が必要だと力説する。「十分な情報を眺められる距離」(一五九頁)、「退いて見る」(一五九頁)、「安全な距離から冷静にこれを心に描ける」(一五九頁)。それを「超然性」(二〇三頁)という。考えてみれば、イシグロが小説でやっているのはこの超然に他ならない。彼の超越志向は芸術家の本来的資質なのである。

これは凡人には真似できない。真似できないが、発想としてはよく分かる。非凡の人たちによって作られた社会の日常にどっぷり浸かって生きることに違和感を覚える凡人は、おのずと日常から距離を置こうとする。距離を置いて、平凡とは何かと考えるのだ。

ハリソンに戻ろう。芸術が写し出すものをハリソンはこう表現する――「芸術家が一定の実際的反応から解放されたときに視、そして再現するを許される、あの内面的な、高度に情緒化された直視《ヴイジョン》の写しである」（二一三頁）。だからこそ、「一切の大芸術は自我より脱却せしめる」（二二三頁）。これは、詩人であり批評家でもあったT・S・エリオットの論文「伝統と個人の才能」を想起させる指摘である。

さらにハリソンは芸術家の内面へと踏み込む。次の文章は白眉である。長くなるが、引用したい。

質も力倆も高い芸術は曖昧なることがまれである。十九世紀の人気大作家たち——ディケンズ、サッカレイ、テニソン、トルストイ——は、万人が理解できるように書いた。真に大きい芸術家は何か重要な言いたいこと、何か宏大な見せるもの、何か自分を動かし自然にのしかかってくるものを持っている。そしてこれを言ってしまわねばならぬというただそれだけのゆえにこれを言うのである。彼は工夫を弄して飾ろうともしなければ、ことに曖昧をもって塗りたてようともしない。それが生まれ出ようとして押して来るあいだに、もはや彼を十分へとへとに苦しめている。言ってしまうまでは、しかも明確に言ってしまうまでは、彼には平和がない。彼は他人のためと意識してではなく、自らのために、大きな思想の重荷を肩からおろすためにこれを言う。そのうえ、情緒の伝達を任務とする芸術は、何ら註釈を必要とすべきではない。芸術は*theoria*すなわち観照から、凝視から出てくるのであるが、*theory*（理論）から出てくることはついにない。理論《セオリ》は芸術を生むこともまた結局これを支持することもできない。（二二六-二二七頁）

作家は内にあるものをとにかく表現したいという欲求によって作品を作り出すのだから、その作品は明瞭であり、分かる言葉で表現されている、というハリソンの指摘に頷く。イシグロがどこかのインタヴューで、作家は努力して作品を書いているのではなく、やむにやまれない衝動によって作品を書く、と述べていることを思い出した。

そしてハリソンは芸術の本質は情緒の伝達にあると締めくくる。

情緒の最も充実し、最も立派なものは、一人の人間が他の人間に対して感じる情緒である。（二二九頁）

この本ほど芸術について語りながら、その本質を的確に捉えた本は他に知らない。凡人でも分かる言葉で書かれている。古代芸術と祭式を主題にしているが、芸術全般の本質を鋭く言い当てた稀有な書物である。とくに同著の第七章は、右で引用したように、人生と芸術の関係が語られており、立派な芸術論になっている。重要なアイデアが数多く詰まっているので、すでに言及したものもあるが、そのいくつかを列挙しておきたい。

・芸術家は日常から距離を置く。そうすることで、新たな目で世の中を見ることができる。
・芸術家が提示するヴィジョンを受け取ることで、読者や鑑賞者は斬新な方法で人生を見直すことができる。
・宗教・哲学・芸術は、人生から距離を置く（ディタッチメント）点で、互いに似ている。
・プラトンの伝統で、芸術は模倣とされてきた。しかし芸術は表現である。芸術が表現しているのは、現実世界ではなく、芸術家の感情化された内的なヴィジョンである。実際的な反応（日常の反応）から解き離れて、それが可能になる。
・芸術は、今の時代を生きる人々の感情から生まれるべき。ただし、感情を教えることはできない。そこには想像力を介在させる必要がある。
・作家は自己誇大化するもので、これは三十歳まで続く。作者のエゴイズムを治療するのは、人生であるべき。日常のシンプルな人間関係の中で骨の折れる活動が人生。

- 作家は、書かざるを得ないという内的な欲求に突き動かされて文章を書く。だから、一流の文学は明晰で、読みやすい。長い年月に渡って、こうした作家たちを苦しめてきたものを作家たちは文学として表現して初めて平安が訪れる。しかもそれを分かりやすく表現できる。ただし、それは他者のためではなく、作家自身のためである。そうすることで、大きな思想の重荷から解き放たれる。
- 理論は決して芸術を生み出さない。芸術を生み出すのは思索であり、作家が対象を我慢強く見続けることで、その思索はようやく芸術へと昇華される。
- 芸術の目的は情緒を表現し、伝えること。最も完成された感情は人が他の人に感じるもので、思いやりは人生を豊かにし、すべての無関心を否定する。

凡人はハリソンの含蓄ある言葉に痺れてしまう。彼女の言を批判しようという気にはならない。

イアン・マキューアン『土曜日』は気に入らない

前の二節はそれぞれの本を読み終えてから書いた。普通、感想文はそうやって書く。とくに面白い本を読み出すと止まらないから、途中で立ち止まらない。読み終えてから、ふたたび頁をめくって、行きつ戻りつして何度も読み返してから書く。

ところが、つまらない本を読むこともある。つまらない本は、読み進めるのがしんどい。しんどいからなかなか進まない。進まないから、読んだところから書き出していく。

イアン・マキューアンの『土曜日』(*Saturday*, Anchor Books, 2005) は凡人の私にとってそんなつまらない小説だった。あまりにも退屈なので、何度も読むのを止めて内容を書き出した。以下はその文だから、とびとびに書かれてある。

❖

主人公は四十八歳の脳外科医ヘンリ。裕福だ。医局員時代に、入院患者だった今の妻と出会い、幸福な結婚生活を送り、息子シーオ（十八歳）と妻ロザリンドと三人で、ロンドンで暮らしている。長女デイジーはパリの大学院で詩人になるために勉強しており、文学に疎い父に文学図書リストを渡している。主人公ヘンリはそのリストに沿って読書を進めている。

外科医として有能なヘンリは数多くの手術を行い、論文を書き、夜は早く就寝する。妻ロザリンドは新聞社で弁護士として働いており、帰宅が遅いことも多い。息子シーオは、ブルースを好むギタリストで、大学には進学していない。

ヘンリ（一九五五年生まれ）は、十二歳のときに神の不在に気づく。息子シーオはそうした疑念とは無縁の二十一世紀を生きている。

物語の現在は二〇〇三年二月で、シーオは十八歳。ということは、一九八四年生まれか。ヘンリは一年半前のアメリカ同時多発テロの記憶が忘れられない。二〇〇三年二月は、迫りくる米英のイラク攻撃への反対デモがロンドンで行われている。テロリズムに過敏になり、ロンドンの治安に不安を覚えるヘンリは、夜になると家の鍵を厳重にかける。外の世界が家庭の中に侵入するのを強く警戒しているためである。

妻ロザリンドの父も詩人だ。彼女の母は交通事故で亡くなっている。ヘンリの母は元水泳選手だった。その母に水泳を強要されて嫌な思いをしたとヘンリは回想している。その母も現在は痴呆症である。

ロザリンドが十八歳の時、脳の手術を受ける。その際、ヘンリは医師として手術に立ち会った。ヘンリの上司が見事な手捌《さば》きで手術を行い、ロザリンドは一命を取り留める。科学の進歩がいかに人類に幸福をもたらしたかが語られる。

マキューアンの姿勢はこうだ。人間がかつて信じた神はもはや存在しない。そうしたものを信じている人々が現在戦争を起こし、テロを起こしている。他方、科学は進歩し、多くの人々の命を救ってきた。いわば宗教が人を殺すのに対し、科学は人を救っているという構図だ。しかし、と凡人は思う。そんな単純な図式に変換してしまっていいのか、と。

ヘンリには文学の素養が欠けている。彼は十九世紀の詩人・批評家マシュー・アーノルドを知らない。その素養の欠如を娘のデイジーが補う。息子シーオがギタリストで芸術家であることもヘンリの知のアンバランスを補う意味があるのだろう。

❖

『土曜日』を読み続けている。二〇〇三年二月に起きた一日の出来事、登場人物たちの過去、イラク侵攻に反対するデモについて語られる。

チンピラのバクスターとその二人の仲間が乗るBMWにヘンリのベンツがぶつかる。

その夜、ヘンリの自宅で久しぶりに家族一同が会するパーティーが行われる。最初に到着したのは娘デイジー。半年ぶりの再会にヘンリは喜ぶ。しかし、イラク侵攻反対デモに話題が及ぶと、父娘の会話は険悪になる。デイジーはイラクへの攻撃にキッパリと反対する。ヘンリは、フセインの圧政と多くの人が殺されているイラクの現状を考えると、イラク攻撃もやむを得ないとする。ヘンリ自身は自らの意見に確信を持っているわけではない。トニー・ブレア首相は、フセインが大量殺戮兵器を隠し持っているというが、それが本当かどうかはその時点では誰も分からない（イラク攻撃後に、それが事実ではなかったことが判明するが）。

かつてヘンリとロザリンドが美術館を訪れたとき、ブレア首相と話す機会があった。首相はヘンリをある芸術家だと勘違いする。ヘンリがそれを正すと、ブレア首相の顔に不安の表情がよぎり、首相はすぐにその場を去る。そのことを回想してヘンリは次のように考える。今回のイラク攻撃の決断についても首相は内心不安を抱えているのではないか。

そういうことがヘンリの視点から全知の語り手によって語られる。本作は二〇〇五年に出版されており、少なくともその時点で、読者はイラクが大量殺戮兵器を所持していなかったことを知っている。しかも、二〇〇五年七月七日に、ロンドンで同時多発テロが起きた。デイジーに続いて、ロザリンドの父で詩人のジョンが家に到着する。ロザリンドと息子のシーオも帰宅し、家族一同が会する。

私が気になるのは、イラク攻撃に対して作者マキューアンはどう見ているのか、ということだ。それは本作で明示的に語られることはないが、ヘンリと同じ立場に立っているのではないかという気がしてならない。

他にも、なぜ主人公は脳外科医で、妻は弁護士で、長女は詩人志望で、息子はギタリストなのかも気になる。妻ロザリンドの父も詩人だ。本小説にはいくつかの二項対立がある。

イラク侵攻反対 —— 賛成
文学 —— 科学
宗教 —— 科学
不良グループ —— 中流階級の裕福な家庭

ロンドン市内のデモという政治的問題が父娘の会話に侵入して、二人の関係をギクシャクさせる。このバランスの傾きはどのように修正され、回復されるのか。たんに文学を通して、階級・政治・文理の壁を越えて、バランスを回復するという話として理解していいのか。

だが、ヘンリたちの安定した中流階級の生活、その豊かさは本当に安定したものなのか。ヘンリの母が痴呆になり、息子を認識できないのは、日常を送れないことを意味する。ヘンリたちの一見安定した日常生活が、その外の世界の出来事によっていかにもろく崩れるか。小説の前半は医学用語が頻出し、いかにヘンリが科学的な見方をしているかが強調される。

❖

『土曜日』は残り四十頁ほど。

バクスターと仲間の一人がヘンリたちの家に現れ、娘デイジーに裸になるように命じる。デイジーの腹部の膨らみを見て、ヘンリたちは彼女が妊娠していることを知る。デイジーが詩人だと知ったバクスターは、目の前にある詩集から何か詩を選んで声に出して読め、とデイジーに命じる。デイジーはマシュー・アーノルドの「ドーヴァー・ビーチ」を読み上げる。バクスターはもう一度朗読してほしいと言う。デイジーはふたたび読み上げる。今度は抑揚をつけて読む。

すると、バクスターはその詩の美しさに感動して、デイジーに服を着るように命じる。ここで凡人はゲンナリする。あまりにも素朴なマキューアンの文学信仰に興が冷めてしまう。

バクスターはヘンリに向かって、ハンティントン病（バクスターの持病）の治療薬の文書を見せろと命じる。二人は二階へ。そのとき、階下でドスンという音、そして逃げる足音が聞こえる。バクスターの仲間が外に逃げた。二階に息子シーオが駆け上ってきて、バクスターと揉み合いになる。バクスターは仰向けのまま階段を落ちて気を失う。警察官と救命士が駆けつける。その後、家族は夕食をとる。その後まもなくして病院から電話がかかる。急遽《きゅうきょ》ヘンリにバクスターの脳の手術をしてほしいという依頼だった。ヘンリは家族を残して病院へ。このあたりは通俗小説によくある筋書きだ。被害者が加害者を救うという構図。ここまで予想通りの展開だ。

科学と文学の融合を体現するヘンリ一家に、ならず者が侵入するも、詩に感動し、科学を代表するヘンリの手術で助かる。この話の展開は、アーノルドが恐れた大衆の俗物化を文学と科学で解毒させるという筋書きに書き直したもので、非常に分かりやすいが、都合よく書かれている気がしてならない。正直に言って、退屈だ。

❖

マキューアンの『土曜日』を読み終えた。

小説の最後は、バクスターの手術を終えたヘンリの赦しが取り上げられているが、どうも気に入らない。およそ三〇〇頁の小説だが、本当にこれだけの分量を必要としたのか、という疑問が残った。

マシュー・アーノルドの「ドーヴァー・ビーチ」を聞いたバクスターの態度が一変するところにマキューアンの文学への信仰を読み取れる。マキューアンらしいが、どこか説教くさいところがある。

マキューアンの説教臭さは、九・一一の直後にガーディアン紙に掲載された彼の英文記事にも言える。イスラム教徒に対する憎悪と恐怖が強すぎて、シンプルな二項対立に陥っている。

マキューアンは科学者ヘンリの文学に関する知識の欠如をアイロニックに描いているが、その科学は政治や宗教より優先される。

考えてみれば、*Solar*（2010）、*The Children Act*（2014）、*Machines Like Me*（2019）、そして本作『土曜日』で、マキューアンは科学を扱っているが、彼の中で科学信仰と文学信仰とが同居していることは明らかである。それはそれでいいのだが、彼が宗教を批判的に捉えるその態度の根底に、素朴な科学信仰と文学信仰があることは、*The New Atheist Novel : Fiction, Philosophy and Polemic after 9/11*（Continuum, 2010）の著者アーサー・ブラッドリー（Arthur Bradley）とアンドリュー・テイト（Andrew Tate）が指摘する通りである。

相性の問題だろうが、マキューアンの文学青年的なところに退屈する。

マキューアンの小説を久しぶりに読んで思ったのは、やはり文学には好みと相性があるということだ。相性が合わないと、作家が問題にしていることに共感できない。なぜそれが問題になるのかがピンとこない。

❖

マキューアンは、E・M・フォースターやヴァージニア・ウルフと似ている。描く主要人物がどこか恵まれている。そういう人たちに向けて書かれているような印象を与える。凡人に向けて書かれていない。だから凡人は興醒める。

マキューアンは、文学が社会においてrelevant（関係する）という信念を持っている。もちろん、*Machines Like Me*で人工知能が発達すれば、文学も不要になると書いているが、『土曜日』では、デイジーが読み上げたアーノルドの詩を聞いて、バクスターが感動する。そもそもアーノルド自身が、詩が宗教にとってかわり、人々を洗練すると主張したことを思い出せば、マキューアンもまたアーノルドと同じく文学の力を信じていると言える。

アーノルドの詩「ドーヴァー・ビーチ」には、「喜びもなければ愛もなく、光がなければ確信もない、平安もなく、痛みを和らげるものもない」という言葉がある。アーノルドの中でもはやキリスト教信仰は人々を救うものではなくなっていた。十九世紀後半の「無知の大軍が夜に押し寄せる」のを防ぐ手立てとしてアーノルドは、代わりに文学を掲げた。マキューアンも大衆を信じていないし、宗教を信じてもいない。ただ、文学と科学が融合すれば、人々を幸福にすると素朴に信じている。そこが私には気に入らない。

IV 平凡な読者のための文学の読み方

文学の授業はなぜつまらないのか

職場の同僚と雑談していて、話題が文学の授業になった。その同僚は学生の頃、文学好きで文学部を選んで大学に入学したのに、文学の授業を受けると、どれも退屈だったという。文学そのものは面白く、その手触りもよく感じられたのだが、授業で文学が扱われるとたまらなく退屈だった、という。別に私に向かって嫌味を言っているわけではないと思うが、とにかく学生時代、文学の授業が退屈だったことは本当なのだろう。だが、この話題は私を落ち着かなくさせる。

じつは私も似たような経験がある。ただ、それは自分が文学の授業を受けて退屈だと感じたというのではなく、自分が文学を教えていて退屈だと感じるのである。いや、それだと自分の授業を全否定することになるので、ときどきある、というべきかもしれない。

文学を面白く教えるのは難しい。はっきり言って手応えがない。たとえば、小説を毎週読み進める。以前、演習でこれをやったのだが、一週間も間が空くと、なんの話だったっけ？　ということになる。そもそも予習することを忘れる学生がいる。

じゃあ、短篇を扱えばいいじゃないか、と思われるかもしれない。それはそうなのだが、ほんの数頁しかない短い物語だと、どうしても一つ二つのエピソードしか語られないので、そこから深く読み取るのはもっと難しい。

何より学生たちは日常が忙しすぎて、いちいち空想の世界のことに構っていられない。顔を見ていたらそれがよく分かる。

では、講義ではどうするのか。講義でやれるのは、せいぜい物語のあらすじを話し、作品のポイントはこうで、こんな言葉を使って表現している、と説明するくらいである。この説明というのがいけない。学生にしてみれば、読んだこともない作品について、ああだ、こうだ、と聞かされてもピンとこない。見たこともない絵画について、このように描かれていて、そこにこのような意味がある、と聞かされているようなものだ。

では、読んだことのある作品について説明を受けたら、分かるか、というと、それも怪しい。私自身の経験で言えば、読んだ作品について論文を読むことがあるが、大抵の場合、恐ろしく退屈である。面白くない。文学を専門にしていてこんなことをいうのは不謹慎なのだが、事実だから仕方ない。私が文学研究者の資質を欠いているからだと言われれば、返す言葉がない。概して文学研究者はテクストの細部を見る。見るところが細かすぎる。細かすぎても、それが何かまとまりのある主張に発展すればよいが、そうでなければマニアックな読解で終わる。研究者であれば、そんな論文でも面白がって読むかもしれないが、一般の人が楽しく読めるかといえば、それはない。

例外はもちろんあって、着眼点がユニークで、議論の整理が行き届いていて、文章も捻《ひね》りの効いた面白い論文に出会うこともある。本当によく考え抜かれた論文だなと感心する。そういう論文にはさまざまな仕掛けが施されている。なるほど、と思わせられる。著者は頭の良い人なのだろう。そういう人の授業や研究は面白いに違いない。だが、それは非凡の人である。凡人が憧れたところで仕方ない。そこで、どうやったら凡人でも面白い授業ができるのかと考える。考えてすぐに思いつくのであれば、苦労はない。大学の教員になってもう十数年経つのだから、そろそろ見つかっていいはずである。それが見つからないから困っている。職人ではあるまいし、完全に満足する授業などまだまだ先の話だ、と嘯《うそぶ》いていられない。

夏目漱石が英文学に裏切られたような気がした、とどこかで語っていた。凡人にはその気持ちがよく分かる。漱石は漢文学の面白さを知り、成り行き上、大学で英文学を専攻し、イギリスに英語の研究という名目で留学して、ノイローゼになるほど文学論の研究に没頭し、帰国後、東大の講師になって十八世紀英文学や文学論を講義するが、学生が全然面白がらないし、漱石自身もおそらく自分の講義を楽しんでいなかったと見える。だから数年で作家に転向している。私はというと漢文学の素養もなければ、留学の経験もない。非凡な漱石の対極である。にもかかわらず、高校生の頃に英語が読めるようになりたい、と強く思ってしまった。当時、英語を話せるようになりたいという友人は周りにたくさんいたが、英語を読めるようになりたいという友人は一人もいなかった。

同じ読むのなら、文学がいいに決まっていると思い、とにかく手当たり次第に英語の本を買って読んでいるうちに、面白いと思える作家を少しずつ見つけていった。その一人がイシグロだった。さすがに三十年以上いろいろな文学作品を英語で読んでいれば、それなりに面白い作品は見つかる。だが、面白い作品を見つけたから、その人間の文学の授業が面白くなるかといえば、そんな単純な話にはならない。

文学を文学の言葉で教えることはむずかしい

話が脱線したので、もう一度最初の問いに戻る。どうやったら文学の授業が面白くなるのかという問いである。どうやったら、と問うのは、何か方法を変えれば、面白くなるのではないかという前提がある。すでに多くの方法が世に出回っているのだから、何か汎用性のある方法があるはずである。しかし私の知る限り、文学の教え方に万能的な方法はない。結局、個々の文学教師の力量と個性に帰着する。話がまた戻ってしまった。

先ほどから面白い、面白くない、といっているが、どういう作品を私が面白いと思うのか。またそうした作品を私がどう読んでいるのか。私自身が文学のどこに面白さを感じているのか。それを学生に向かって話すしかないのではないか。そんな気がしてきた。教壇に立っているのは私であって、他の教員ではない。であれば、他人の論文について話したところで面白いわけがない。自分の研究したことであれば、何が面白いのかは分かっている。そんなものはあなたの主観に過ぎないと言われれば、やっぱり返す言葉がない。しかし文学は主観で読むものじゃないですか。それを現実世界に引き付けて読もうとするから、文学研究が社会学になったり、歴史学になったりする。

では、個人が面白がっていることを掘り下げていくとどうなるか。それはどんどん読む人間の個性の話になっていく。なかなか他者と共有できる広がりのある話にはならない。それだと文学を読んでいるのか、自分を語っているのか、分からなくなる。そう反論する人もいるだろう。その通りだ。

文学を教えることの難しさは他にもある。文学の難しさは、その作品の中に使われている言葉でその作品を説明しようとすれば、同語反復にならざるを得ないことである。だが、作品の中で使われていない言葉で説明しようとすれば、今度は外の世界の話になる。

先日、村上春樹の『街とその不確かな壁』を読んだが、この小説を、現実と虚構、本体と影、一体化といった作中に用いられている言葉で説明しても、それは同語反復になる。では、小説で用いられていない言葉で説明するとどうなるか。解説する側の言葉が文学から離れるのである。文学を文学の言葉で説明することもできず、文学以外の言葉で説明すれば、それは文学ではなくなる、というところに、文学の授業の難しさがある。批評理論を掲げたところでそれは一般論の話になるから、やっぱり文学の話ではなくなる。

しかし、文学がどこまでも個人的な読解でしかないのだとすると、その表現は他者の言葉を模倣して生まれるものではない。シェイクスピアと同時代の詩人で批評家でもあったサー・フィリップ・シドニーの『アストロフェルとステラ』というソネット集の冒頭で、アストロフェルがステラという女性への愛を表現しようとしても、言葉が見つからず、他の詩人の本をめくってそこから言葉を借りようとすると、詩神ミューズが彼に向かって「バカな人、自分の心の中に言葉を見つけなさい」と諭す。書く人は、自らの心の中に書く言葉を見つけ出して書くしかない。

では、自分の中にある言葉をどう引き出すのか。それは、頭の中で考えても言葉にならない。実際に書いてみるしかないのである。自分が何を面白がっているのか、何を考えているのか、それは書き連ねてみないことには分からない。だから文章を書くしかない。

ちょうどインク壺からインクを吸引するコンバータのように、蓄積された言葉が引き上げられ、文章という目にみえる形で姿を表す。

じつは授業もそうである。教室で言葉が蓄積していく。音の振動に過ぎない言葉は教室で消えてしまうが、学生の頭の中では（授業を聞いていればの話だが）言葉が堆積していく。だから、こちらが普段考えていること、書いていることを言葉にして口で伝えていくしか方法はない。

人文学演習という二年生向けの科目がある。テキストを指定して、それを読んでいくことが多い。昨年までは他人の書いた本を学生と読んできた。でも、どうしてもしっくりこなかった。他人の本は面白いところもあるのだが、隔靴掻痒《かっかそうよう》の感が残る。所詮、他人の本である。学生はどうか知らないが、私は退屈である。だから、今学期からやり方を変えた。

学期が始まると、まずは入門篇として上級生の書いた文学に関するレポートの中でとびきり優秀なレポートを何本か読ませる。学生もその出来栄えにびっくりしている。何より教師である私よりはるかに文学的センスと分析能力に長けた学生がときどきいるのである。そういうレポートを読んで、文学をどう読むのかについて学生たちとじっくり考える。そうやって二、三回進める。

自分の書いた論文を学生に読ませてみる

次に、標準篇、すなわち凡人篇として、私の書いた論文を数篇読ませることにする。いわゆる禁じ手である。大学教員は自分の論文を学生に読ませることはしない。何より自分の文章を読ませるのは恥ずかしい。恥ずかしいし、論文を読ませても学生には分からないだろうと思い込む。私もそう思っていた。だが、それではいつまで経っても学生と本音で文学について語れない。

自分の論文を読ませるくらいだから、よほど自信があるのだろう、と読者は思うかもしれない。自信があるから読ませるのではない。自分が教えるのであれば、自分の論文を読ませるしかない。どういうことか。

教壇に立てば分かるが、教師は心底自分で面白いと思うことしか教えられない。もちろん、面白いと思わないことも教えられるが、それだと熱が入らない。他人の書いたものを面白いと思って読むこともあるが、所詮他人の頭を借りて面白がっているに過ぎない。本当にそれが面白いのなら、すでに自分が書いているはずである。だから私にとって本当に面白いものは私がすでに書いているものの中にしかあり得ない。たとえそれが凡人の書いたものでも、当の凡人が書いている時点で面白がったものである。本人が面白がって書いたのだから、少なくとも他人にその面白さを説明することはできる。というより、それしか面白さを説明する方法はない。出来不出来が問題なのではなく、そのような方法によってしか教師は本当に面白いものを教えられないのだ。

だから恥を偲んで自分の書いた論文を学生に読ませることにした。自分の論文の良いところも悪いところも全部学生にさらけ出す。胸を張って反面教師になる。同時に、こちらが文学をどう面白がっているのかを伝える。せっかく授業をしていて、学生を前にしているのだから、他人の本を肴にするよりも、自分の論文を議論の俎上に乗せて冷や汗をかいたほうがいいに決まっている。だから捨て身の気持ちでこうすることにした。

しかし私の論文だけでは、文学の読み方を教えるのにあまりにも狭すぎる。偏りすぎた読み方を教えることになってしまう。だから学期の後半では、応用篇として本当に優秀な研究者の書いた優秀な論文だけを読ませる。私がこれまで読んだものの中で、これは面白い、と思った論文を厳選する。どこがどう優れているのかを熱く語る。なんだ、他人の論文についてもそうやって熱く語れるじゃないか。確かにそうである。だが、見せる順番が大事なのだ。こうして文学を読むとはどういうことかを学生に体感してもらう。

結局、文学の授業は、教師の自負・羞恥心・妬みと、学生の驚き・呆れ・軽蔑などの感情が生起したときに、ようやくコミュニケーションが成り立つ。そう思うことにした。

平凡な教師が面白がって書いた論文を学生に読ませ、それに学生が呆れ、これくらいなら自分にも書けそうだと自信を深める。そういう授業があってもいい。凡人にしかできない方法である。

文学を語る言葉について

村上春樹は新作『街とその不確かな壁』のあとがきで、文学の真実についてこう述べている

――「要するに、真実というのはひとつの定まった静止の中にではなく、不断の移行＝移動する相の中にある。それが物語というものの神髄ではあるまいか。僕はそのように考えているのだが。」（六六一頁）。

この言葉は文学について作者自身によって書かれた言葉である。なぜこの村上の言葉が文学について書かれた言葉になるのか。この短い文はさまざまな含意を備えており、読者の頭の中にさまざまな想念を喚起するからである。文学とは何か、真実とは何か、物語とは何か、といった問いが喚起される。

ここで村上が言わんとしているのは、もちろん彼の作品そのもので描かれている移動、すなわち主人公の現実世界と街の世界との移動の中に真実があるということである。われわれの意識の本体と影という文字通りの意味ではなく、小説内で引用されている、聖書の詩篇の言葉「人は吐息のごときもの。その人生はただの過ぎゆく影に過ぎない」（三〇三頁）という人間の存在の一過性を含意する。

シェイクスピアの『マクベス』にも似たような言葉があるが、それはすでに引用した。人生はいずれ消える影だとすれば、本作に登場する元館長の子易の霊はまさしく影であり、小説の結末で分かるように、その後継者となった「私」もじつは影の存在で、その実体は街の中に残っていた。

しかも、影のほうが現実世界で数十年も生きてきた。影であるはずの「私」が、影に過ぎない霊である子易と話をしているのだから、本作全体が影の話である。

それにしても文学を論じるのは難しい。少なくとも、今こうして小説を読み返しながら書くことができるのは、小説を読みながら黄色の色鉛筆で線を引いたり、付箋を貼ったりしていたからなのだが、線を引いたり、付箋を貼ったりするだけでは、文学を語る言葉は生まれてこない。文学について何か書こうとしても、どんな言葉で語ればいいのかが凡人には分からないのである。

文学を論じるとは、どういう行為なのだろうか。ジョン・ウィズダム（John Wisdom）は、人生に意味はあるのか？　という問いは、文学の意味を問うことに近いと述べている。E・D・クレムケ（E. D. Klemke）編著の*The Meaning of Life: A Reader*（2008）に収められた論文“The Meanings of Questions of Life”において、ウィズダムは、文学や絵画の意味を、何かリストを挙げて説明しても、それは、その作品が何を意味するか、という問いに対する答えには決してならない、という（二二二頁）。つまり、作品の要素を取り出したり、その作品の言葉を引用したりしても、結局のところ、その作品の意味を提示したことにはならない。ウィズダムはこうも例える。ある人が別の人を憎んだり、愛していたりしたとして、その感情をいくら言葉にしても、その言葉だけですべてを語り尽くせると考えているとすれば、それは誤解である、と（二二三頁）。

では、どうすればいいのか。彼は言う。文学も、人生も、その意味を言葉で、すっきりとしたリストで表現することはできない。しかし、そうなると、文学を論じることができなくなる。そういえば、村上春樹の同作では、信じろ、と書かれていた。街から外の現実世界に落下するとき、現実世界に生きるもう一人のあなたがしっかり受け止めてくれると信じろ、と（六四九頁）。ちょうど主人公が少年を受け入れて、彼と一体化して街の図書館で夢を読むように、語り手はもう一度、街の外の現実世界に住む影と一体化する。これに近いことが文学について語る場合にも起きるのではないか。

頭の中でモヤモヤとしたものを言葉にして、それをはたして現実世界の人間が受け止められるのか。

文学を語る固有の言葉は存在しない。一人ひとりが自分の言葉を紡いでいくだけだ。しかも、その言葉はほとんど読まれることがない。人に読まれるから書くのではなく、書きたいから書くのでもなく、書かざるを得ないから書く。手を動かして文字を書くという状況に放り込まれているから書く。だからおのずとその人間に書ける内容に落ち着く。

文学を語る言葉は、結局のところ、文学を読む個々の人間からしか生まれてこないのではないだろうか。

凡人の不幸——非凡な著作を読んでも非凡になれない

年齢を重ねると自分の平凡さをつくづく思い知らされる。そう言うと、若いときは非凡だと思っていたのか、と言われそうだが、そうではなく、自分が平凡だとか非凡だとか考える暇がなかった。

大学で教え始めて十数年経つと、できる学生はできるし、できない学生はできないことが分かる。もちろん、大多数の学生がその中間の出来で、要するに、平凡なのである。この平凡な学生たちに平凡な教師が教えていると、彼我の平凡さが身にしみる。だから学生たちには、平凡な人間として生きる術を身につけろ、と言いたくなる。だが、これは口が裂けても言えない。教育の現場ではそういうことは言えない。それを言うと教育が成り立たなくなる。それでも、平凡な学生が本当に学ばなければいけないのは、長い人生において自分の平凡さと折り合いをつける方法である。学生の多くは大学を卒業して、夢を追い、歳を重ねて自らの平凡さに思い至るはずである。だから凡人なりに生きる術を身につけることこそ本当は大学で教わらなければならない。だが、このことは教えられているようで、教えられていない。このことがよく分からない人は、イシグロの『わたしを離さないで』を読むといい。勘のいい人は腑に落ちるはずである。

大多数の人が平凡だということは多くの人が知っている。自分のことを平凡だと思っている人がどれだけいるのかは定かではないが、自分が非凡だと思っている人に比べれば、多いはずである。

では、平凡な人がどう生きるかというと、当然ながら生きる実感を求めるし、自分の人生に意味があると思う。人生に意味を付与することが人間の宿命である限り、平凡であろうと、そうでなかろうと、そこに意味を見出す行為は避けられない。そうすると、非凡も平凡もない。だが、平凡な人は自分の平凡ぶりを日々痛感するから、意味を見出すことに非凡な人より意識的になることが多い。そう断定してしまって本当に良いのかと読者は思うかもしれないが、これは私の主観であるから、本書を読んでいる間は我慢してもらうしかない。

世の中は非凡な人たちの書いた本で溢れかえっている。これが平凡な人を不幸にする。悲しいかな、平凡な人は非凡な人に憧れを持ち、努力すれば非凡な人になれると思い込む。この憧憬は努力とセットになっているのだが、平凡な人はそこそこ努力するが、大いなる努力はできないので、非凡な人になることはできない。にもかかわらず、平凡な人は自分の生き方の指針を非凡な人たちから学ぼうとする。

繰り返しになるが、世の中に出回っている本は非凡な人によって書かれている。世の中で活躍する人たちは非凡な人たちである。その非凡さを見慣れてしまうと、平凡な人もいずれ時間をかけて努力すれば、非凡になれると思ってしまう。

しかも非凡な人は平凡な人に向かって、あなたは平凡です、と普通は言わない。むしろ平凡な人たちに向かって、あなたも努力すれば、非凡な人間になれます、というメッセージを送り続ける。

そうしたメッセージが書かれた本を読むことで、平凡な人も成長・向上し、充実した人生を送れる、という前提が非凡な人にも平凡な人にも共有されている。

しかし、いくら非凡な人の本を読んでも、平凡な人は非凡な人にはなれない。大多数が凡人なのに、その凡人の生きるための指針が非凡な人たちによって与えられているところに、凡人の不幸がある。

凡人の生き方は凡人から学ぶしかない

はっきり書こう。凡人の生き方は凡人から学ぶしかない。いくら非凡な人が想像しても、凡人の生き方など考えられるわけがない。自分が非凡なのだから、その非凡の尺度で凡人を見てしまう。あなたにもできる、やればできる、とハッパをかける。かける分には問題ないが、凡人が真に受けるから不幸になる。

もちろん、凡人も十人十色で、まったく同じ暮らしをすることはできないし、する必要もない。ただ、世の中が非凡な人たちの作ったルールで動いていて、そのことに無自覚なのが凡人である、ということは知っておいたほうがよい。だから、そのルールを凡人に合わせて作り替えたほうが凡人には生きやすい社会になると言いたいだけである。要するに、大いなる努力をせず、運や根性に恵まれなくても、それなりに生きていける社会というのが凡人には居心地の良い社会なのである。自分の分に応じた、ほどほどの生き方でよしとする社会はユートピア（どこにもない場所）なのだろうか。

結局、凡人が非凡人に憧れるのは、自分もそのような人生を歩みたいと願うからである。この憧れがすべての文化を駆動させる。凡人は頭の良い人に憧れ、頭の良い人は自分よりも頭の良い人に憧れ、より頭の良い人は古い時代の頭の良い人に憧れる。だから古典だ、という話になる。古典は非凡な人たちの書いた書物の総体で、非凡な現代人には憧憬の的になるが、凡人にはよく分からないものである。

ソポクレスの『オイディプス王』——凡人にはこう読める

ソポクレスの『オイディプス王』。誰でも知っている古代ギリシア悲劇である。これが面白いのは、時代を超えた普遍性を持つからだと人はいう。それはそうなのだが、やっぱりあれは非凡の人オイディプスを描いているから読める。あの訳の分からない謎に答えられるのだから、非凡に決まっている。

しかし、そのオイディプスにしても、運命に逆らったところで、結局その運命に引き戻される。要するに、どんな時代に生きていようとも、自らに定められた運命を生きることしかできない。そう読むと、俄然面白くなる。そう、凡人には凡人の運命がある。それに逆らって生きようとしても、最後は凡庸さに引き戻される。だからこの作品を読んで、凡人は凡人の運命を受け入れるしかない、と諦めるのが、凡人の読み方である。

念のために書いておくと、オイディプスの物語に、エディプスコンプレックスを読み取るのは、非凡な人の読み方である。斬新で、刺激的で、平凡な人をアッと言わせるが、それはあくまで非凡な人の読み方で、凡人の読み方ではない。フロイトを貶《おとし》めているわけではない。非凡な人の読み方は凡人の読み方とは違うということを言いたいだけである。

もう一度確認しておく。凡人の読み方はこうである。ああ、あれだけオイディプスが避けようとしても、避けられない運命というものがその時代に想定されていて、それに抵抗しようとしても結局はできないのだな、そういえば、自分の凡人としての不甲斐なさも、いわば運命なのかもしれない、凡人は凡人らしく凡庸さという運命を受け入れて生きていくしかないな、と納得する。だから凡人には凡人の読み方がある。これが分相応である。

ただし、古典は要注意である。オイディプス王に限らず、古典作品はおしなべて超人が描かれる。非凡どころの騒ぎではない。古くはホメロスのオデュッセウス、ヴェルギリウスのアエネーアース。あるいはギリシア神話、ローマ神話の人間的な神々。時代が下ってイギリスでは、ベーオウルフのような英雄が出てくるし、中世の時代にはアーサー王や騎士たちが登場する。シェイクスピアの作品の主人公も多くは国王や王子や将軍で、要するに、非凡な人たちの「人間らしさ」を描いているが、凡人ではない。

昔の作家が非凡な人たちを描いたのは、やはり凡人による非凡人への憧れを知っていて、非凡な人でも運命や感情の前では無力にならざるを得ないという普遍性に凡人が慰めを見出したからである。

こうした位の高い人物を主人公にする物語から、少しずつ大衆を描いた物語へとシフトしていったのは十八世紀だが、それでも平凡な人間とは到底思えない人物が描かれている。文学では、凡人への道のりは案外長かったのである。

モーム『人間のしがらみ』——凡人のためになる小説

本物の凡人が登場するには、イギリスでは、十九世紀を待たないといけない。それでも十九世紀半ばくらいまでの主人公はやはりどこか非凡さを垣間見せる。ディケンズの『オリヴァー・ツイスト』にしろ、『デイヴィッド・コパーフィールド』にしろ、主人公たちの善良ぶりは、到底凡人には真似できない。悪人の徹底ぶりも然り。イギリスの小説で正真正銘の凡人を体現したのは、トマス・ハーディの『日陰者ジュード』の主人公ジュードである。二十世紀に入ると、モームの『人間のしがらみ』(原題は*Of Human Bondage*, 1915。四十代以上の世代には『人間の絆』の邦題のほうに馴染みがある）が登場する。このあたりになると、俄然平凡な読者は面白く読める。

ただし、ここでいう面白さは、物語のプロットでもなければ、人物の成長でもない。私のいう面白さは、人物たちの徹底した平凡さ、その平凡な人生が平凡な人にとって知恵になる、という意味である。

先ほどオイディプスを紹介したとき、結局、避けられない運命に直面するところに凡人が読むべきポイントがあると述べたが、ハーディの『日陰者ジュード』も同じである。オクスフォード大学とおぼしきクライストミンスターで古典を学びたいという野望をジュードは抱き、懸命に独学を続ける。だが、人生の成り行きによって、大学への道は閉ざされ、ジュード自身も最後は亡くなる。女性への欲望に打ち勝てず、自分の夢を叶えることもできないジュード。まさに凡人の極地と言えるその生き方は、作者のペシミズムがどうのとか、内在する意志がどうのとか言わなくても、凡人の読者によく分かる小説である。こういう小説を読んで、凡人として生きるとはどういうことかと考えるのが凡人の読み方である。

非凡な人に比べれば、凡人の人生は思うようにいかない。もちろん相対的な話である。最初から人生の幅が限られていると言ってもよい。もちろん、限られた人生の幅を少しでも広げ、より充実した人生を送ろうとするのは他者から見れば好ましい。だが、好ましいからといって、凡人である当人にとってそれが心安らかな人生になるかというと、必ずしもそうではない。そもそも人生の幅はいつまでも広げられるものではないし、歳を重ねれば、いずれ自らの平凡さを直視しなければならない時が来る。問題は、そのときに自らの平凡な人生を受け入れられるかどうかである。これは大事なことである。

ここで参考になるのは、モームの小説『人間のしがらみ』である。二十世紀初頭に出版された本作は、同世紀の半ばに中野好夫によって『人間の絆』の題で邦訳されると、よく読まれた。二十一世紀の今では、英語圏でも読む人はほとんどいないと思うが、凡人にはためになる小説だと私は思う。しかもつい数年前、この作品の新訳が『人間のしがらみ』のタイトルで光文社古典新訳文庫から出た。訳者はシェイクスピア研究者の河合祥一郎である。なぜ河合氏が邦訳を手がけたのかは分からないが、本作はシェイクスピアに通じるところがあるのだろうと勝手に想像する。

ただ、この小説は長い。私が持っているペンギン版で六百頁ほどある。私が最初にこの小説を原書で読んだのは十九歳のときだ。小説の最後のページまで辿り着くのに三か月かかった。原書を手に取った頃に通い始めた自動車学校で車の免許を取得するほうが早かった。三十年ぶりに読み直そうと、この春に手にとって半分程度読んだが、主人公がある女性に惚れ込んでしまう場面でどうしても退屈になって今はソファーの上に置きっぱなしである。

モームは凡人向けの作家である。人間とは何か、人生とは何か、人生に意味はあるのか、など大多数の凡人にとって避けて通れない問いについて考え続けた小説家である。彼の『サミング・アップ』(*The Summing Up*)というエッセイを読めば分かるように、さまざまな哲学書を読み、生きる意味を真剣に考えた。その彼が四十歳のときに上梓したのが『人間のしがらみ』である。

小説の終盤で主人公のフィリップが人生の意味について考える箇所がある。わずか三、四頁なのだが、そこでフィリップが到達した人生観が提示されている。それは、人生には意味はない、というものである。フィリップはある昔話を思い出す。ある国の王が賢者に人間の歴史を書き尽くした本をもってこいと命じた。賢者は五百巻もの書物を用意した。多忙を極める王は、もっと短くしろと賢者に命じた。二十年後、賢者は五十巻の書物にまとめあげた。しかし年老いた王にそれだけの数の書物を読む時間は残されていなかったので、さらに短くしろ、と命じた。二十年後、賢者は一巻の書物にまとめあげた。だが、すでに死期が近づいていた国王はその一巻の書物さえ読むことができなかった。そこで賢者はたった一行で人間の歴史をこうまとめた――「人は生まれて、苦しんで、死ぬ」（ペンギン版、五二三‐五二四頁）。

つまり、人は生まれて、苦しんで、死んで、それでおしまいである。人生に意味はない。意味はないのだから、成功にも意味はないし、失敗にも意味はない。たとえ残酷な出来事が起きても、そこに意味はない。無意味さという白紙の紙を前にして、フィリップはむしろ開放感を覚えるのである。

モームはフィリップにある比喩を思い出させている。フィリップの友人クロンショーがかつて言及したペルシャ絨毯《じゅうたん》の比喩である。ちょうど織工が一つひとつの模様を自らの美的感覚に頼って織っていくように、人生もそれが煌びやかなものであっても、単調なものであっても、それを生きる人の好みに応じて織りなしていくものだ、とフィリップは気づく。

自分なりの人生模様を織ってゆく――そこに意味はない。自分なりのやり方で織っていく模様こそが人生なのだ、と結論づけるこの小説の人生観は、平凡な人間でも、自分なりの織り方で人生の模様を作ることができる、いや作るしかない、という諦観をもたらす。そこにある種のすがすがしさを感じる。模様に意味はないが、少なくとも模様はできる。

しかし、と凡人は思う。人生は、はたしてこの主人公が思うような模様になるのだろうか。そもそもそれは一つのパターンになるのだろうか。一人の人生全体を眺められると仮定して、それは他者にとって何か理解できる模様となるのであろうか。それさえもできないと凡人は思う。理解もできなければ、意味も持たない痕跡だけが残るのだと思う。

人生に意味はないという命題は、凡人だけでなく、非凡の人の人生でも変わりはない。模様が美しかろうと、醜かろうと、意味はないのである。美醜を読み取るのは、人間であって、その人間が勝手に美しいとか醜いとか言っているだけである。美しいから意味があると言えるかといえば、それは美しいと思っている人間にとって意味があるだけの話である。だから、モームは人の人生の模様に美醜は関係ない、と書いているのである。

もう一つ重要なことがある。それはモームの人生観からうかがえるように、意味はない、というのが事実だとしても、最後に模様を作る、という意味を付与している点である。人間は無意味さに直面して、何もせずにはいられない。必ず意味を付与してしまう。人生に、人間に意味はない、という言明そのものも意味を付与する行為に他ならない。意味がない、という意味を付与するのである。

だからと言って人間の、人生の無意味さに意味が生じるわけではない。意味がないことに変わりはない。しかし、意味がないという認識に至ろうとも、人はそこに必ず意味付けをする。それが人間である。

だから、人間とは意味を付与する存在でありながら、その本質において意味を持たない存在である。むしろ、本質的な意味を持たないから意味付けをしてしまう。言い換えれば、自らの存在の無意味さという前提があるからこそ、人は意味を見出し、発見すると言ってよい。

モームの模様が示すのはこういうことである。人間の存在には意味がないからこそ、個人が織りなす糸の集合である模様に辿り着く。結局、存在の無意味さという普遍から、人生模様の生成という個人の生に突き当たるのである。

イシグロも同じ結論に逢着している。『浮世の画家』では、自らの過去の行為を正当化できなくなった元画家が語り手だった。その語り手が最後に頼るのは、画家として活躍し、その瞬間に得た「満足感」である。もちろん、その満足感を支える出来事の価値は、小説の現在において否定される。だから、読者は、否定された古い価値観に基づいて行われた行為とそこから生じる語り手の満足感に疑問を抱く。

しかし、イシグロはこう考える。人の評価は時代によって変わる。変わらないのは、ある瞬間に個人の中に生じた感情だけである。たとえ価値観が変わり、評価が変わっても、心に生起した感情そのものは変わらない。

イシグロは次の小説『日の名残り』でも、執事に前述の画家と同じような満足感を与えながら、その満足感の根拠を否定する。だから感情を人に見せようとしなかった執事が人前で泣くのである。泣くのは、一瞬の満足感を支える価値観が否定されたからである。では、価値観を否定された執事はどうしたのか。ふたたび執事として現在の主人を喜ばせようと奮起するのである。だから、人は意味を付与する、と言ったのである。何も残らないことを直視した執事は、新たな意味を自らの人生に付与しようとする。この執事が平凡か非凡かはさておき、大事なのは、かつての栄光を失った老人が残された時間を使って新たな意味を付与しようとする点にある。

しかし、モームのいう模様を思い出せば、イシグロの画家も執事も彼らなりの模様を描いたと言えよう。とくに執事は「品格」という意味付けにこだわり、最後にこの意味付けを社会の圧力によって自ら否定せざるを得なくなる、という点で、オイディプスに似ている。運命に翻弄される人物の系譜に連なる人物だと言える。この執事はやはり非凡なのであり、その非凡さの中にも凡人と同じ、人生の無意味さがにじみでているという意味で、モームの人生観にもつながるのである。

凡人に分かる人生の無意味さこそ文学の入り口

そもそも人生には意味がない、と考えるのは凡人の証拠である。非凡な人は自らの才能を開花させ、日々の仕事に邁進している。意味がないどころか、意味で人生の無意味さの穴を埋めてしまう。だから、意味がないなどと考える暇がない。

しかし凡人はそうはいかない。人生について考える時間を非凡の人より多く持っている。何より自分の人生の無意味さを相対的に知っている。人生に意味はないという言明がスッと心に入りやすい。人生の無意味さという宿命を背負っているのが凡人である。

だから非凡な人がなぜ自分は非凡なのかと考えないのに対し、凡人はなぜ自分は凡人なのかと考える。そういう癖がついている。それが無意味さへの入り口となる。自らの、いや人間の存在の無意味さに気づいているからこそ、その存在の無意味さを描いた文学がよく分かる。私がモームを読み、イシグロを読んで面白いと思うのは、自らの凡庸さと折り合いをつけようとする主人公に共鳴するからである。

これこそ凡人、すなわち平凡な読者のための文学の読み方ではなかろうか。

V　平凡な文学研究者のメモ書き

研究テーマは発酵するのを待つ

ふと何かを思いついたり、何かがひらめいたりすることがある。たとえば、授業の準備をしている。あるアイデアが浮かぶ。衝動的に授業に取り入れる。それで成功することもあれば、大失敗することもある。ただ、思いつきを試してみると、案外良い反応を学生がしてくれる。思いつきだから、深い意図はない。それでも、頭の中で入念に準備したときに比べて、試す側に新鮮な気持ちがあるからなのか、予想外にうまくいく。

誰かが書いていたが（モームが書いていたような気がしたので、『サミング・アップ』をめくってみたが見つからなかった）、小説には衝動的なプロットはない、という。一見、登場人物が衝動的に動いているように見えても、小説では必ず必然的な流れがあって、作者が入念に計算した上で、物語を展開させている。だから小説のプロットは衝動的ではないというわけだ。すべての小説がそうかというと、そんなことはない。作家が衝動的に書くこともある。イシグロは、長篇第一作『遠い山並みの光』の冒頭で、語り手の娘が自殺したという設定をあまり深く考えずに持ち込んだため、この自殺問題をどう回収するかに気を取られて、本来予定していた別の物語を十分に展開できず、語り手の女性と過去に知り合った女友達の話のほうが膨れ上がってしまったと語っている。少なくとも作家本人は失敗だったと思っている。

創作に限らず、研究においても同じことが言える。

ふと思いついたテーマで研究を進めて、失敗したことが過去に何度かある。あるときヒューマニズムに関心をもった。自分の論文で、イシグロの小説はヒューマニズムの枠組みでは捉えきれない、むしろヒューマニズムの枠組みを超えたところで創作していると論じたのだが、ではそのヒューマニズムとは何かと考えるとよく分からない。関連図書を二十冊ほど購入して何冊か読んだが、途中でこれは自分の能力では到底全体を把握できないことに気づき、断念した。衝動的にテーマを設定したものの、自分の力量を超えるテーマだと分かり諦めたのである。

創作でも、研究でも、テーマの設定がいかに大事で、繊細に扱わなければいけないかが分かる。要するに、自分の力量に応じたテーマを設定することが重要で、テーマは大きすぎては手に負えないし、小さすぎると今度は面白くなくなる。面白くないと、その成果となる論文も面白いものにはなり得ない。研究者は悶々とする。だから分相応なのである。

右で衝動的にテーマに飛びついて失敗した例を紹介したが、では、テーマの設定に思いつきが不要かといえば、そんなことはない。むしろ、どのようなテーマでも、最初は思いつき、着想から生まれる。他人のテーマの土俵で相撲をとっても仕方なく、だから作家も研究者も着想を大事にする。

重要なのは、着想をどれだけ待てるか、である。

小林秀雄は『人生について』(中公文庫)に収められている「スランプ」という短いエッセイの中で、待つことの大事さを次のように説いている。

> 職業には、職業の慣れというものがあるので、その慣れによって、意識の整備の為に、精神を集中するという事は、私にはさして難儀な事ではない。さて、そういう事が出来た後には何をすればよいか。ただ、待つのである。何処かしらから着想が現れ、それが言葉を整え、私の意識に何かを命ずる。私は、昔の人のように、陳腐なインスピレーションを待っている。(二一七頁)

小林秀雄が待っているのは着想であるが、じつは、その着想がそれなりのテーマになるのに時間がどうしてもかかる。機が熟すというが、ものごとにはタイミングがある。どれくらい時間がかかるかは、そのテーマの大きさ、当人の力量と関心の強さなどによるのだろう。温めているテーマが読者の関心を喚起するかどうかについて研究者自身がある程度自信を持てないうちは、まだ早い。いずれにしても時間がかかることは確かで、実際に研究者が論文を書き始めるまでに、それなりに時間がかかる。少なくとも凡人の私の場合、相当な時間がかかる。必ず、よし書くぞ、というタイミングが来るが、いつそれが来るのかは予測できない。待つしかない。これが大変つらい。

面白い着想だと思って張り切っても、時間が経つと、その着想が色褪せることもある。色褪せてくると、当初のような興奮も冷めてくる。テーマには持続が必要だ。

こうして多くの研究テーマは日の目を見ないことになる。それは仕方ない。そうした時間の経過の中で、テーマは取捨選択されていくからである。その時間の経過をくぐっていないテーマは日の目を見てもしばらくすると忘れ去られる。

テーマにもいろいろある。明確に浮かぶ場合と、ぼんやり浮かぶ場合がある。テーマが明確な場合は、練りやすいが、明確な分、広がりを持たないことが多い。着想段階と完成論文との間に開きがなく、発展が見られないのだ。書きやすいが、面白みに欠ける。小説でも同じようなことがあるようで、イシグロの『日の名残り』もそうだったらしい。構想段階と完成した小説とがほぼ一致していたとイシグロは語っている。ただ、彼の創作メモや草稿を見ると、実際は紆余曲折があったようである（集英社の雑誌『kotoba』に寄稿した拙稿「イシグロの創作術」を参照）。

研究の場合、ぼんやり浮かんだアイデアはおそらく大事なテーマだと思う。ぼんやり浮かぶというのは、他の誰もまだそのテーマに明確な輪郭を与えていないからで、そのぼんやりしたアイデアが浮かんだ当人の独創となる可能性を秘めている。だからこうしたアイデアは大切に温めたほうがいい。

衝動的な着想から論文や研究書になるまでに、どのような経過を辿るのだろうか。多くの場合、その着想のことばかり考えていても、前に進まない。別のテーマや他の本に関心を向けている間に、その元のテーマが次第に発酵していく。少しずつテーマが形を取り始めるのだ。それを小林秀雄は、待つ、と言った。

テーマがおのずと姿を現すのをじっと待つ。テーマを寝かせている間に、テーマはテーマのほうで勝手に成長していく。私はそう思っている。そうすると、はじめはぼんやりしていたものが、少しずつ輪郭を持ち始め、研究者本人にも認識されるようになっていく。それを待つのがつらいだけなのだ。

イシグロの作品は五年に一度くらいしか出版されない。でも、イシグロはずっと書いている。彼のアーカイブを見れば、それがよく分かる。書いては寝かせ、寝かせている間に別のテーマについて考え、その別のテーマもまた寝かせる。そうしているうちに、あるテーマが形を取り始める。そうやってようやくイシグロは本格的な執筆に着手する。

『わたしを離さないで』のように、二回チャレンジしても形にならなかったケースもある。この作品は着想から本格的な執筆まで十年以上かかっている。最初の着想は一九九〇年頃だったらしい。出版されたのが二〇〇五年だから、着想から完成まで十五年の歳月をかけている。ここまで待てる人はなかなかいない。

作家によっては、書きながら思索し、書き上げてからまた寝かせることもある。モームの『人間のしがらみ』もそのような作品だ。二十三歳で書き上げた初稿に満足できなかったモームはこの作品を十五年ほど寝かせた。そして三十代後半で、満を持してもう一度書き始めた。それが彼の代表作になった。

問いを立てるとはどういうことか——他人の問い、自分の問い

養老孟司の『「自分」の壁』（新潮新書）を読んでいたら、研究者は自分で問いを立てねばな

らないが、それが厄介だと述べている。自分で問いを立てるのは苦しいとも書いている。

問いを立てるとはどういうことか。

私が勤務している大学には、一年生向けの演習科目の一つに人文学基礎演習というものがある。私の教室に入ってみよう。入学したばかりの大学生に向かって、大学は学ぶだけでなく、研究するところでもある、といつもの第一声をあげる。ポカンとしている。想定通りの反応なので、教科書として使用しているハンドブックを開かせる。そこに自分で問いを立てろと書いてあるだろう、と一年生に穏やかに語りかける。まだピンときていない。今度は課題として読書レポートを書かせることにして、読んだ図書について考え、自分なりの問いを立てさせる。すると、なぜ人種差別はいけないのか、とか、なぜ言語は誕生したのか、といった壮大な問いを立ててくる。わずか二千字程度のレポートでそんな問いに答えられるはずがなく、雲をつかむようなレポートに仕上がる。

問いを立てるには、まず立てる側に疑問が浮かばなければいけない。分からないこと、鮮明ではないこと、そういうものが頭に浮かんで、それをクリアにしようとする。研究で問いを立てるには、その問いを具体的なものにする必要がある。右のようなデカい問いを立てて書き上げられるのは超一流研究者だけである。

問いが具体的でなければいけないとはどういうことか。人間が素朴に抱く疑問というのは大抵大きすぎるものが多い。だから、ひとまず何かしらの枠組みを設定して、その枠組みを問題に被せて、その枠組みの中でしか答えられないような問いに変換する。先の例で言えば、なぜ人種問題はいけないのか、というのはデカすぎるので、場所を限定する、時代を限定する、差別する人・される人を限定する。それでも差別とはなんぞや、という大きな問いが隠れているので、その差別の定義をいくつかの先行論文を参照して、ひとまず差別とはこういうものだと定義してしまう。そうすると、特定の文脈における差別ということになって少しは論じやすくなるはずなのだが、差別がいけない、というのは倫理の話でもあるので、今度は哲学書も読まなければいけない。ユダヤ人差別に関する歴史書も紐解かなければいけない。問いを具体的にするのは結構厄介なのである。

しかも問いを具体的にしたからといって、もともと素朴に抱いていた問いが消えてなくなるかと言えば、それはそのままの形で居座っている。だから何のために問いを具体的に変換しているのかが分からなくなる。しかもそうした大きな問いの背後には別の問いが隠れているのが普通で、それを探ろうとしたら、また別の問いが現れてくる。結局は収拾がつかなくなる。

問いは具体的なほうがいいと書いたが、その問いにも二種類ある。他人が考えた問いと自分で考えた問いである。一般的には、他人が考えた問いについて別の方法なり別の観点なりから答えることが多い。実際に、他人が考えた問いを問い直したほうが、先行する研究のどの論文に目をつければいいのかも分かりやすい。道筋をつけてくれているからだ。

だが、他人が考えた問いは所詮、自分の中から出てきた問いではないから、その問いに答える必然性が弱い。必然性が弱いのは動機が脆弱なのと同じことで、いまひとつ力が入らない。もちろん、他人が考えた問いはすでに公になっている問いだから、その問い自体が読者に開かれている。たとえ他人が立てた問いであっても、それに答えたいという欲求が自分の中に生まれれば、それは自分の問いになるだろう。多くの人が答えたいと思わせるような問いは、優れた問いなのである。

対して、自分の中から出てきた問いというのは、どうも頼りない。答えようとするモチベーションには繋がるが、その問いがはたして答えるに値する問いなのかどうかについて自信を持てない。誰も問うていない問いなのであれば、それは問うに値しない問いだからではないか、という疑念が必ず付きまとう。

ところが、養老孟司が述べているように、自ら問いを立てることが研究者の本分なのだという ことになると、他人が関心を持つかどうか分からない自分の立てた問いであっても、それに取り組むことが研究者に求められる。だから苦しい。

しかも自ら問いを立てることは、やってみれば分かるが、容易ではない。少なくとも凡人の私は苦労している。だから先行する研究者の論文を読むのである。そこで何か引っ掛かりを探そうとする。しかし歳を重ねると、多少テーマが大きくても、自分が関心を持てる事柄について問いを立てたい、という欲が出てくる。大学一年生ばりのデカい問いを立てたいという欲求が強くなってくる。

私自身、文学を研究しているのだから、やっぱり文学らしい問いを立てたいと思う。なぜフィクションは存在するのか、なぜ現実とは異なる理《ことわり》で別の世界を作り出す必要があるのか。そういう問いである。わざわざ文学を創作するのは、作者がこの現実世界に違和感なり、不満なりを持っているからに決まっている。不満がなければ、わざわざ別の世界を作る必要がない。文学には、人生の意味とは何か、という作者の問いが必ず伏在している。

虚構世界を作り出して、それを現実の読者に向かって提示することに何か「意味がある」と信じている人がいるから、文学は創出されてきたのだ。

では、作家は誰のために書いているのか。同じく現実世界に違和感と不満を覚えている人に対してである。そもそも現実世界に不満を抱かない人は文学を読まない。そういう人は現実世界で十分に充実感を味わっているのだから、何も虚構世界に足を踏み入れる必要がない。だから文学は、現実世界に違和感や不満を覚えている人が同じような人に向かって書いたものなのである。

文学の声とは勇ましい掛け声でもなければ、自信がみなぎった声でもない。もちろんそういう語り方をする語り手もいるが、多くは迷いと不安を抱えた人間の語りである。信頼できない語り手という文学用語が生まれるのも、そうした人間の感情に目をむけるのが人間の性だと作者も読者も知っているからである。

こうした声は現実世界ではかき消されてしまう。わざわざフィクションという虚構世界を作り上げるのは、こうした現実世界でかき消されてしまう声をすくいとるためである。

だとすれば、文学研究もまた、こうした声を聞き取れるような問いを立てるのが筋であろう。口でいうのは簡単だが、どうやってそんな問いを立てられるのか、凡人には分からない。

文学とは？　文学を読むとはどういうことか？

かつては便利な言葉があった。「真実」である。真実というと拒否反応を示す読者がいるだろうから、中野好夫に登場してもらう。

中野好夫は『文学の常識』(角川文庫)で、文学を成り立たせるものとして、真実の追求を挙げた。かつて文学の読者は思春期の若者だった。現実と幻想が一致した少年期を過ぎて、次第に現実の世界に嘘を発見する思春期へと突入すると、若者(中野は、十三、四、五歳だと推測している)は、文学の中に真実を求めるようになる。もちろん、これは昔の若者の話であって、二十一世紀の若者が文学に真実を求めているわけではない。ともかくかつては思春期の若者たちが文学の中に真実を求めた。文学こそ真実を追求するものだと考えられていた。

今も昔も人間は意味を作り続ける存在である。だから文学にも意味は存在する。作者自身が書きながら意味を作り、読者はその作品世界から作者の意味を読み取ろうとする。作者が提示する意味は、その作者にとって真実であり、読者もまたそれを真実として受け取る。そのとき文学を介した作者と読者のコミュニケーションが生じるのである。

こうしたコミュニケーションが起こるのは偶然ではない。作者は自ら付与した意味を真実として提示しており、読者がそれを真実として捉えるのは当たり前の話である。いわば文学の常識である。いや、かつてはそうだった。

そうすると、文学について考えるにあたり、次のような問いが生まれる——文学はどのような意味を持つのか、作者はどのような意味を付与しているのか、その作品はどのような真実を捉えようとしたのか、そこに読者は何を見出すのか、読者はどのような意味付けを行うのか、作者と読者の間にコミュニケーションは成立するのか、といった問いである。言葉を書くことで繋がり、言葉を読むことで繋がる。それが文学的営為なのである。

私が、フィクションとは何か、文学とは何か、文学を読むとはどういう行為か、文学を研究するとはどういうことか、といったことを考えるようになったのは、大学で文学を教えるようになってからである。それまでは自分の読みたい本を読んで、自分の書きたい論文を書いていればよかった。しかし文学に関心を持たない学生を前にすると、教える側が考えさせられる。文学に興味のある学生には個別具体的な話ができるし、具体的な話をしても学生も理解できる。しかしそもそも文学に関心のない学生を相手にする場合、作家や作品などの具体的な話をしてもピンと来ていない。だから、そもそも文学とは？　文学を読むとはどういうことか？　といったところから始めないといけなくなる。

しかも、文学とは何か、文学を読むことにどのような意味があるのか、といった問いは、私にとって、人生とは何か、人生に意味はあるのか、といった問いと本質的に同じである。こうした問いは今自分がしていることの意味を問うという習性から来ているのだが、これは若い時から同じである。自分の行為そのものを問うから、行動より思考が先行する。だから小説を読んでいても、これは何を意味するのか、作者はどのような世界観で書いているのか、ということが気になって仕方なかった。作家が作品にどのような意味付けをしているか、人生をどう捉えているか、ということが気になるのである。個々の文学作品を成り立たせている作者の前提は何か。長い間、これは私だけの問いだと思っていた。ところが、大学院時代から指導いただいている山本史郎先生の新著『翻訳論の冒険』(東京大学出版会)を読んだら、書き手の前提が徹底的に問題にされている。私だけが問うていたわけではなかったのだと安心したのも束の間、自らのオリジナルの問いではなかったことに気づく。そういえば、書き手の前提を探るというのは山本先生から大学院時代に教わったことだと思い出す。人から教わった問いを自分だけの問いだといつの間にか思い込んでいた。自らの凡庸さをふたたび認識することになる。

凡人が文学的な問いを立てるための道のりはどこまでも長い。

VI 文化と凡人——文化、文学、人生と意味付与の関係を考察する

いよいよ最終章である。この章では、一気に飛躍して凡人論をぶち上げる。凡人論も突き詰めて考えれば、人間論になる。凡人が大多数である限り、凡人論は人間論に向かわざるを得ない。だが、人間論は凡人の手に余る大テーマである。だからここは妄想に頼ることにする。人間の究極的あり方について想像を膨らませるのである。

よってそれは極論になる。極端な論ではあるが、凡人論のベースにもなる。

文化とは何か

文化とは、特定の集団が作り上げた意味付けの総体である。もっともらしい別の言い方をすれば、意味付与の営為とその様式が文化なのである。凡人が文化と意味について考えようとしても、複雑な議論はできない。だからそもそも論にならざるを得ない。そもそもと考えるから、人間とは何か、というところから出発する。私の凡人論はここから始まる。

神、言葉、文化——人間の意味付与が生み出したもの

そもそも人間の存在に意味はない。

人間の存在に意味はない、とはどういうことか。人間の存在そのものに意味が内在しているわけではない、ということである。人間の存在に意味があると主張するのは、それは意味を外から付与しているに過ぎない。称賛や非難は意味が付与された世界においてのみ成り立つ。意味は付与されるものであって、人間に内在するものではない。人間に意味があると考えるのは、意味付与の世界を形成する特定の社会の中で生きているからである。

人間そのものの存在に意味はないのだから、人間の生、すなわち人生にも意味はない。もっと大仰に言えば、地球上に存在する生物すべてに意味はない。山の中の植物は何か意味があってそこに生えているのではなく、ただそこに生えている。人間が生きているのは、何か意味があるからではなく、そこで生きているから、としか言いようがない。

ところが、人間は意味の不在にどうしても納得しない生き物である。人間は存在の無意味さを心の底から受け入れられない生き物である。なぜか。人間は意味のない世界で生きることの

できない動物だからである。自分が地球の生み出した自然の一部であり、自らの存在に何ら意味がないことを知っていたとしても、自分の存在に、周りの人間の存在に意味を探していく。人間の歴史とは、そのような意味付けの歴史だと言ってよい。

意味は付与されたものなのだから、その意味をことごとく取り去ってしまえば、残るのは、無意味な人間の存在だけである。この無意味さに人間はどうしても耐えられない。だから、人は人生を充実させ、懸命になって働き、無意味さの穴を埋めようとする。自分の仕事に意味を持たせようとする。

言語が違えば、意味付けの方法も違う。しかし、言語が違えども、意味付けすることに変わりはない。人間は、長い間、人間を超える超越的存在、すなわち神を想像してきた。神も言葉も文化もすべて、人間存在に意味を付与するための手段であり、意味付け作業の結果でもある。

逆に言えば、自らの人生に意味などないと考える人はいない。そこに意味を見出そうとする。意味の連鎖を探ろうとする。だから必然だというのである。個人が人生に意味を付与するように、社会・国家・共同体も意味を付与する。意味を付与するのが困難な状況に陥ったときでさえ意味を付与する。人はどんな状況でも意味を付与せざるを得ないからだ。そう凡人は考える。

では、付与するとはどういうことか。付与するというのは、そこに本来意味がないという状況が想定される。意味のない状態とは何か。それは物理的因果関係によって生起したという事実以外に、何も意味はない、という状態である。先ほどの例で言えば、ある山に木が生えている。その木はなぜそこに生えているのか。どこからか種子が飛んできて、そこに落ち、苗が育ち、木になった。あるいは人為的にそこに植えられたのかもしれない。これは物理的因果関係の説明で、それ以外に、その木がそこに生える意味はあるのか。ないのである。ただそこに生えているだけで、その木は自らの存在の意味を考えない。ただ、人間だけがそこに存在する木の意味について考える。なぜそこに存在するのか、と。自分の存在についても同じである。

したがって、生き物というレベルでは、人間存在の意味はない。なぜそこに存在し、そこに意味はあるのかと問うても、意味はないのである。だから、人は言葉で、行動で、歌で意味を作り、表現する。

戦争——無意味な人間同士の無意味な争い

問題は、こうした意味付け作業を絶対視するとき、人は争うということである。戦争がそうである。国家・民族・宗教といった、人間が作り出した境界に基づいた概念を絶対視するとき、対立が起こり、争いや虐殺が起こる。

無意味な存在に過ぎない人間同士の争いは、もちろん無意味な殺し合いに過ぎない。そうした行為もまた人間が作り出した意味付けの一つに過ぎない。意味を付与しようとしまいと、人間の無意味さは変わらない。それに我慢できないのが人間であるという点も万国共通である。だから、意味を付与する。

人間の存在に意味はないとして、では、もう少し身近な人々はどうか。自分の周りに生きている家族や隣人や友人や同僚はどうなのか。彼らの存在もまた無意味なのか？　考えれば分かるように、その存在は私たちにとって無意味とは到底言えない。その存在がなくなることを受け入れられない。しかし、それは感情の話であって、そうした存在がいなくなっても人は生きていく。親を失っても子は生きるし、子を失っても親は生きる。大切な友人を失っても、人は生きていく。ただ、その存在を失ってはじめて、自分にとって、なくてはならない存在だったと痛感する。そう感じるのは、その失われた人が自らの人生に意味を付与するのに欠かせない存在だったからである。その喪失は自らの存在の意味を揺るがすからである。

そうやって人は何万年も存在の意味付けをしてきた。文化を学ぶとは、人間の存在にどのような意味付けをしてきたのかを学ぶことに他ならない。時代・国・地域が違えば、文化の意味を共有できないことが起きる。言語や方言がその典型である。先祖が作り出して継承してきた言葉のルールを私たちも受け継いで用いているからこそ、対話が成り立つ。しかし、それは先人たちによって作り上げられてきた意味であり、言語の成立時点から、何かを指し示す役割を持つものの、その言葉の存在そのものに意味があるわけではない。音と音の繋がりが、特定の人たちにとって了解可能な意味を持つに過ぎない。

存在に意味はない。だから、東西も南北もない。それぞれの地域で意味を生成しているというだけの話である。

人間の存在に意味がないのと同じくらい重要なのは、人間は意味を付与する存在であるという事実である。無意味な存在が自らの存在に意味を付与するという逆説こそ人間存在の本質だと言ってよい。それは言語を獲得した結果、人間が背負わされた十字架である。だから新約聖書（口語訳）には「初めに言《ことば》があった」（ヨハネによる福音書、第一章）と書かれている。

人間の存在の無意味さを掘り進めていけば、ニヒリズムになるし、その存在に意味を与えれば、文化になる。だから、文化を扱う人文学は、その人間存在に意味を付与する営みに目を向ける学問だと言える。

文化は普遍でなく、個別のものである

ただし、普遍的な文化は存在しない。時代を超越して人類全般に通用するような文化は存在しない。カトリック（catholic）を小文字で書けば、普遍を意味するが、それも一つのキリスト教の一派に過ぎない。もっと抽象化して、神を持ち出せば普遍性を議論できるかと言えば、そんなことはない。現代は無神論者がいる。だから神といえども普遍性を持たない。つまり、人間が作り出した文化は、ある特定の人々に意味を喚起するものであり、万人に当てはまるものだと考えるのは間違っている。そういう思考は驕《おご》りと憧れが作り出す幻影である。

文化とは普遍ではない。あくまでも個別的なものである。特定の集団においてのみ、特定の意味を持つものである。特定の人々によって意味が付与されるもの――それが文化だと言える。つまり、文化が意味を持つのは、その文化を継承している人々にとってであり、その文化を共有しない人々、あるいはその文化のコードを共有しない人々にとって、その文化は意味を持たない。

しかし、そのコードを共有していなくとも、そのコードを理解することはできる。その文化

に触れることはできる。他国の文化はもちろん、自国における他地域の文化でも、その文化のコードを学ぶことで文化を理解することはできる。複数の文化を知ることの意味は、特定の文化を絶対視しない目を持つことを可能にする点にある。自分たちの文化も、他地域、他国の文化も、歴史の中で生成されたことを理解する。しかし、一方が自分たちの文化を最善のものとして見るとき、他の文化は排除やコントロールの対象となる。他の文化もあるコンテクストの中で生じたものであり、自国文化が絶対でないように、他国文化も絶対ではあり得ないということが分かっていれば、余計な憧憬や排除やコントロールは起こり得ない。無意味なものが意味を作り上げているだけのことで、意味をこしらえたからといって、そこに絶対的な意味が生まれるわけではない。あくまで特定の集団にとって持ちうる意味が発生するだけである。だから文化は相対的なのである。相対的でしかあり得ない。一部の人々にとって、その人々の文化で生成された意味は、他の文化圏の人々にとってよりも、もっと重要だ、という意味で、相対的にならざるを得ない。それを絶対視するからおかしなことになる。無意味なものが意味を作り上げたところで、それ自体に本質的な意味はない。

「言葉ありき」でなく「意味はない」から文化は始まる

人間存在の無意味さは、何も文化を否定するものではない。そうではなく、その無意味さから始めないと、ややこしいことが起きるだけの話である。はじめに言葉ありき、ではなく、「はじめに意味はない」というのが、人間存在の大前提である。凡人は人間をこう見る。

繰り返しになるが、その存在が無意味だとしても、人間は無意味さの中で生涯を送ることはできない。少なくとも意識のある状態では、それができない。意識がある限り、何かしらの行為や思考を意味あるものにしようとするし、自分や他人の人生に意味を持たせようとする。言葉を持っているためにそうせざるを得ない。

前で述べたように、私たちは日常の中でこの意味付けを行う。自分の知っている人たちの存在を無意味なものとして捉えることはできないし、ましてや自分の存在を無意味なものとして捉える人はいない。そうする人は生きていくことが恐ろしく困難になるか、ニーチェのように最後は完全に理性を失うしか道はない。

こうして文化は必然的に生まれる。その文化に属する人々がそれを継承することを怠れば、いずれ消えてしまう。消えてしまえば、過去にどのような文化があったかを知ることは、その文化が文字や生活の痕跡（現代では映像）を残さない限り、不可能になる。人間が自分たちの生活に付与してきた意味が消えてしまうからである。歴史は文書を通してその意味の連鎖を辿るし、考古学は遺跡の発掘を通して古《いにしえ》の人間の営みを探る。意味付けの歴史を文書や生活の痕跡を通して描き直すのだ。

人間が自らの存在に意味を付与する生き物であるというその本質が文化や伝統を生み出し、人々はそれを継承してきた。親や教師が子どもに教える。教育の根本も、その文化の継承に他ならない。人間の残した生活の痕跡を記録として残し、その記録を更新していく。更新された記録を文化として、続く世代が学び直し、自らの手で更新していく。そこに学問があり、教育があり、生活がある。仕事は需要と供給の世界だから、時代が変われば、仕事の種類も変わる。消えていく仕事があれば、新たに生まれる仕事もある。しかし、人間が他の人のために行動をし、それによって対価を得るという仕組みそのものは変わらない。文化は、そうした需要と供給の論理から外れたところで意味が付与されたものである。

人間の無意味さを前提としながらも、その無意味さに耐えられず、意味を付与する、いや付与せざるを得ないのもまた人間であり、それこそ他の生物と人間を分かつものであり、文化なのだという思考は人文学的である。

人間の存在に意味はない、ということを前提にしつつ、先人たちが積み上げてきた意味の山を謙虚に、畏怖の念を持って見上げる。そしてその意味の体系を子孫が継承し、新たな意味を付与して記録を更新していくのである。

人文学——超越的な意味付与でできた学問

人文学という学問領域は、人間が作り出した意味付与を外から見て、意味を継承し、新たな意味を付与する営みに他ならない。

すでに存在する意味体系に新たな法則なり、系譜なりを見出し、新たな意味を付与する。いわば、超越的な意味付与行為こそが人文学だ。意味付けされた対象から新たな意味を取り出し、そこから意味の連鎖、意味の体系を作り出していく。

意味の体系を記述するために、学問はおのずと先人の業績の上に自らの思索を積み上げる。それは学問のルールである。

このルールは、どの知が新しく、どの知が古いのかを峻別するための方途である。このルールに従って学問をするということは、先人の知恵に頼りながら、何かしらの新しい意味をそこに付与する行為ということになる。

学問の領域は広い。人文学と一言で括っても、そこには、人間とは何か、よく生きるとはどういうことか、という古代ギリシア時代から続く大きな問いがある。冒頭から使ってきた人間という言葉は、人類の所産として今日生きる私たちも含まれる。だが、時代ごとに人間は変わる。当然ながら、人間とは何か、という問いに対する答えも変わる。世界がグローバル化し、世界の隅々まで人間を把握することが可能になった現代において、人間とは、地球全体に住む人間とその歴史を包摂するものとなる。

文学は人間を映す鏡である

文学は古くは神話から叙事詩まで、果ては小説も含めて、人間が作り上げた物語の総体である。対して、超越的な世界を付与し、現実の人間のあり方を規定すれば、宗教となる。文学と宗教は、じつはその本質において近い。ただし、宗教は普遍的な真理を希求するが、文学は人々の営みの中に真実を求める。文学は超越した視点で描かれながらも、人間によって作られたものだという前提を失わない。

文学の描く超越世界は、あくまでメタファーであり、アレゴリーとしての世界である。たとえそれが未来であったり、人間以外の動物の世界であったりしても、それは文学である。未来小説も寓話も文学なのは、そこに人間の姿が反映されているからに他ならない。

人間存在をさまざまな角度から見ることで学問は成り立つ。ただし、文学だけが架空という設定で人間を描く。はじめから架空であり、作り事であることを前提にして創作されるのが文学である。生の人間を描くことを目的としながらも、実在しない人間を中心に据える点こそ、文学を文学たらしめる。

文学が人間をフィクションという形式で描くのは、そこに想像力を介在させることを前提にしているからである。それは何も作品を作り出す作者だけでなく、読者の側にも、一定の想像力が求められる。こうかもしれない、こうだったかもしれない、という仮定、反実仮想を通して、現実に生きる人間のありようを逆照射する。つまり、文学とは、現実の人間をそのまま描くのではなく、そこに想像力を介在させて、人間の存在について日常、いや作られた日常を通してその真実の姿を垣間見せる媒体である。

個々の人間は自分の置かれた環境、育ち、出会い、共同体などによって規定されている。環境を超越して生活を営むのは容易ではない。宇宙への旅が可能となり、地球が青いという外の世界から見える地球の色彩も、外に出てはじめて分かる視点である。個々の人間の世界もまた、外の世界から見ることでしか見えないものがある。あるときは、それが文学という媒体を通して見える。文学でしか見せられないものがあるのかどうかは分からないが、文学が人間を映す鏡となることは、何もミメーシスの概念を持ち出さなくても分かることである。

意味と無意味——文化、文学の基底にある二つの命題

そこで問題になるのが、では、どのような視点を文学が提供してくれるのか、という問いである。人間が前提にしているもの——つまり、無意味な存在である人間が意味を付与することには意義があるというオクシモロン、これを文学はまず明らかにする。何も神話や英雄叙事詩を読まなくても、多くの物語は主人公の行動や思考に意味を付与する。

とはいえ、すべての文学がその意味付けを明確にしているかというと、そうではない。意味付けが明確でない文学も存在する。意味のない人間が作り出す意味付けの一つが文学なのだから、何ら不思議ではない。たとえば、ハーマン・メルヴィルの『筆耕バートルビー』(一八五三年)、フランツ・カフカの『変身』(一九一五年)、サミュエル・ベケットの『ゴドーを待ちながら』(一九五二年) などの小説、戯曲がその典型である。これらの作品では、その主人公の存在そのものに明確な意味付けがなされているようには見えない。むしろ、意味付けを拒否することこそが主題になっていると言ったほうがよい。しかしだからといって、これらの作品で作者が一切の意味付けを拒否しているかというと、そうではない。意味を付与するという行為を無効化することで、人間存在の無意味さを前景化するという、ひねくれた意味付けを行なっているのである。人間は意味付けを必然的に行うという人間の性をむしろ否定することで、その奥にある人間存在の無意味さという否定できない真実に光を当てているのである。人間は無意味な存在である、という前提に最も接近しているのがこうした作品なのである。シェイクスピアが『ハムレット』で主人公にTo be, or not to be—that is the question (あるがままでよいのか、いやそうではないのか、それが問題だ) と語らせているのも、運命の石や矢に耐えるべきか、武器を持って運命に挑むべきか、の選択の狭間でハムレット自身が逡巡しているからであろう。

いやそうに違いない。ハムレットも無意味と有意味との間で迷ったのだ。

こうした無意味さへの接近に意味があると右の作家たちは考えていたはずである。なぜなら物語を紡ぐその動機の奥に、無意味さという人間存在の真実を捉えんとする意識が働いていたことはおそらく間違いないからである。ゴーゴリの『外套』(一八四二年)もそういう作品である。

つまり、こういうことである。人間存在について言えば、相反する命題が二つある。

(一) 人間の存在に意味はない。

(二) しかし、無意味さに耐えられないのが人間である。その結果、人間は必然的に意味を付与する営為に従事する。

右で挙げた作家たちは、意味付けが明確ではない作品を書くことで、(二)を否定する。その上で、(二)の前提となる(一)を暴露しているのだ。(一)を暴露したところで、読者の持つ(二)への欲求は消えない。よって、彼らの作品は(一)を暴露した作品だという意味付けが行われる。結果、彼らの物語もまた(二)の命題に回収されていく。それが文学の宿命である。

文学に限らず、文化そのものにも本質的な意味は存在しない。その無意味さは、文化を作り出す人間の存在としての無意味さから来る。絶対的な意味は人間の無意味さから立ち現れてこない。たまたま今の時代に生まれ、人間として命を吹き込まれたのが私たちである。それは偶然の産物でしかない。しかしこの偶然性にも私たちは耐えられない。だから、必然を求めるのである。物質世界の因果を人間の生の営みの中に持ち込む。

たとえば、福岡伸一は生物のありように人間の真理を見出している（『生物と無生物のあいだ』、講談社現代新書）。分子はたえず動き、生命のバランスを保っているという。これが彼のいう動的平衡の概念で、細胞の中の分子は一定量保たれていながら、たえず入れ替わっていると述べている。だから人間は変わり続けている、という。無常なのだ。

しかし、たとえ物質的な因果で説明しようとも、人間存在の無意味さという命題は崩れないから、残された道は、無意味な存在である人間に自ら意味を付与することになる。文学も、他の文化的創造物と同じく、この意味付与の営みに他ならない。

凡人からすれば、文学に優劣をつけるのはくだらないと思う。ある作品が劣っていると思うのであれば、読まなければいいだけの話である（それでも私はマキューアンの小説を読んでしまう）。それを無理やり読もうとするから、優劣の話になる。無意味な存在である人間の営為は本質的に無意味なのだから、その無意味な人間が作り出す営為に優劣も何もないのである。文学は、読者の好みを映し出す鏡でしかない。作品を面白いと思うかどうかはその読者の嗜好の問題に過ぎない。

しかし、優劣をつけるのも人間の性である。命題（二）の通り、人は意味付けをせざるを得ない存在なのだから、当然、文学にも意味付けをしてしまう。意味付けをするのが人間の性であることを追認する作品は、自分の尻尾を自分で噛むようなもので、だからそれは平凡だと判定するのも、無意味な人間のなせる業である。反対に、この命題（二）を突き破って、命題（一）まで掘っている作品、すなわち人間の無意味さそのものを主題にしている作品は優れている、とみなすのも、人間の勝手である。なぜなら、たとえ命題（一）まで掘ったところで、読者は作品を命題（二）に押し戻し、何らかの意味付与をすることには変わりがないのだから。人間はどこまでも無意味さに耐えられないのである。

ただ、作者も読者も、直感的にこのことを知っている。自殺者が絶えないのも、その人の精神が異常だからではなく、むしろ逆で、その精神が正常でありすぎるために、自らの存在の無意味さに気づいているからである。ただし、自らの存在の無意味さに気づいたからといって自殺する必要はない。なぜなら、生きているすべての人間の存在が無意味なのだから。特定の人間だけが無意味なのではない。みんな、無意味なのである。凡人はそう考える。大多数の人間が自殺しないのは、命題（二）の示す人間の性の結果である、意味付与という行為から逃れられないからである。人生を有意味なものにすることができる、人間を有意味な存在にすることができると信じるしか残された道はない。だから普通は自死を選ばない。

無意味さに耐えられないのは皆同じであり、意味を付与する人は生きるし、意味を付与できない人は死を選ぶ。だが、意味を付与しようと、できまいと、人間の存在は無意味なのだから、同じことなのだ。命題（一）も（二）も、個人の問題ではなく、人間全体の宿命である。だから死のうと生きようと同じなのだ。死んだところで宿命は変わらない。

大袈裟に言えば、この二つの命題が人類の問題であることを証明しているのが文学である。意味付与がフィクションだとすれば、人間の無意味さを意識させる文学は、フィクションの二重性によって、現実世界よりも人間の性を人間に自覚させやすい。人間の無意味さを直視させる。もちろん、人間はその存在の無意味さに耐えられないから、すぐに意味を付与する。文学は、直視させるところで終わる。意味付与を読者に委ねざるを得ない。だから文学の宿命だと書いた。

では、文学が人間の意味付与とその奥にある無意味さを読者に直視させるとして、そのような文学を研究する文学研究者の仕事にどのような意味があるのか。そもそも人間の存在に意味はないのだから、文学研究にも本質的な意味があるわけがない。これは命題（一）の通りである。しかしだからと言って、命題（二）の、無意味さに耐えられないという人間の本性から文学研究者だけが自由になれるはずがなく、この無意味な問いに意味を付与することもまた文学研究者だけでなく、人間の性なのである。では、文学研究者は自らの研究という営為にどのような意味を付与するのか。

文学そのものは命題（二）を突き破って、命題（一）を志向する。そうではない文学もあるが、文学史的に有意味な文学作品というのは大体においてそうなのだから、そういうものだと割り切ってもらうしかない。こういう割り切り方もくだらないと凡人は思う。だから繰り返しになるが、文学は、意味を付与する人間存在の無意味さを読者に直視させる。直視させたからといって、読者は人間である限り、無意味さを見続けることはできないので、必ずその文学を命題（二）に回収する。だからせいぜい文学研究者にできるのは、読者が文学を有意味の世界へと回収するのに抵抗して、もう一度無意味の世界へと読者を引き戻すことである。もちろん、そのような引き戻しに何か意味があるわけではない。無意味な存在である人間が作り出すフィクションである文学に加担して読者を無意味の世界に引き戻すことに意味があるわけではない。これは大事な点なので繰り返す。

人間はその存在が無意味である。しかし、その無意味さに人間は耐えられない。だから、人間は必ず意味を付与する。その意味付与の総体が文化である。文化の一部を形成するのが文学であることを踏まえれば、文学もまた人間によって意味付与された産物だと言える。ところが、文学は意味付与という人間の性を突き破って、人間存在の無意味さに読者の眼を向けさせる。つまり、有意味を志向する人間を描くことで、その人間の前提となる存在の無意味さを暴露する。いわば、自身の無意味さに突き当たり自ら命を絶つ人と同じベクトルを持つのが文学なのだ。しかし読者はその無意味さに耐えられないから、文学を有意味の世界に引き戻す。こう書くのは三度目だが、これが文学の宿命である。したがって、文学研究者の仕事は、無意味さを志向する文学を有意味の世界へと引き戻す読者に抗って、もう一度、読者を無意味さの世界へと向き変えることにある。これこそ平凡な文学研究者にできることである。

しかし、厄介なのは、読者が文学を有意味の世界へと回収する前に、文学それ自体が自ら有意味の世界に戻ってしまうケースである。先の命題で言えば、命題（二）を描いて、それを突き破って、命題（一）まで到達しながら、ふたたび自ら命題（二）へと逆戻りする文学がある。

モームやイシグロの文学がその典型である。こうした文学は、読者が作品を命題（一）から命題（二）の世界へと回収する前に、読者を命題（二）に連れ戻す。そうすると、凡庸な文学研究者は仕事をしにくくなる。どういうことか。

個人の感情と想像力

右でモームやイシグロは、命題（二）から命題（一）へと掘っていきながら、最後に命題（二）に自ら逆戻りする、だから平凡な文学研究者は仕事をしにくくなる、と述べた。しかし、これでは何のことだか分からない。

まずはイシグロから考えてみる。イシグロの小説では、社会に、人類に貢献したいと強く望む主人公が登場する。世間への貢献が主人公たちに生きる意味をもたらす、という作者の前提がある。この前提は命題（二）に相当する。ところが、世の中の人は変わる。戦争によってそれまで正しいとされてきた価値観が否定される。すると正しいとされた価値観に基づいて主人公は行動してきたにもかかわらず、その価値観が否定されてしまうので、主人公たちの行動の正当性も否定されてしまう。さらに小説の結末で示唆されるのは、その主人公たちの影響力の欠如である。自らの行動の意義が否定されるだけでなく、そもそもその行動自体が何ら影響力を持たないという事実に主人公を向き合わせる。つまり、社会貢献という主人公たちの望みは二重に否定される。彼らの価値観の否定と彼らの影響力の否定という二重の意味で。こうしてイシグロの主人公たちは凡人になる。

そこで問題になるのは、世の中のため、他者のため、というように自らの人生を他律的に意味付けをしても、その他者によって構成される社会が変わり、時に世の中のためと思ってとった行動がのちに世の中のためにならない、いやそれどころか、のちの世代にとって反社会的な行為として映ることがある、という点である。しかも、そもそも何ら影響を残さないということもある。人の無力さ、無意味さが示唆される。

そのとき、人は何を軸にして生きればいいのか、という問題に立ち向かわざるを得なくなる。他者への貢献という大きな目標も当てにならず、自分の影響力もなかったということになるとき、何を目的に生きればいいのか。ここに、命題（一）の人間存在の無意味さがヌッと顔を出す。イシグロは、この命題（一）を読者に直視させる。しかしどういうわけか、すぐに命題（二）、つまり、意味付与の世界に読者を連れ戻す。意味の不在に耐えられない主人公にその人物なりの意味付与を行わせるのである。イシグロの作中人物にとって意味付与とは何か。それは、ほんの一瞬感じる満足感、達成感を大切に思い起こすことしかない、という考えである。人生の一瞬の中にささやかな満足感があれば、人はその感情を肯定して、その想いを持って歩み続けることができるというものである。『浮世の画家』も『日の名残り』も、この見方に着地する。

イシグロが脚本を書いた映画『生きる LIVING』でも、modest satisfaction（ささやかな満足感）という言葉が、主人公ウィリアムズの書き残した手紙に出てくることはすでに紹介した。この主人公は、住民たちのためにささやかな貢献をした、という意味で、イシグロの小説に通じるところがあるが、映画ではウィリアムズが市民に貢献したのに対して、イシグロの小説ではそうなっていない。他者のためという想いで行なった仕事が一瞬にして他者のためにならず、という結末を導く。ウィリアムズのように、無意味から有意味へと邁進することは難しい。少なくとも、イシグロの読者ならそう感じる。生の終焉を迎えた人に対して、あなたの人生は無意味だったと言える人などいない。

イシグロの小説の主人公たちは自らの人生を振り返り、一瞬の満足感を思い出して、自らの人生を肯定しようとする。しかし、彼らの満足感が前提とする根拠もまた否定されている。つまり、当人だけが感じられる満足感であって、読者が共有できるものとなっていない。そうすると、イシグロが提示する人間とは、人は他者と共有できない満足感を持って生きることしかできない、という、これまた意味付与の一形態を提示しているものとなる。少なくとも、当人の満足感という捉えどころのない感情によって人生を肯定するという態度である。そうすると、平凡な文学研究者は、そうですな、と納得するしかない。もう一度、命題（一）の無意味さに読者を引き戻そうという意欲が削がれることになる。

もう一人の作家モームの場合はどうか。モームの『人間のしがらみ』(*Of Human Bondage*) はフィリップを主人公にした教養小説である。フィリップは足に障碍《しょうがい》を持つ。幼くしてフランスで両親を亡くす。イングランド南東部に住む国教会牧師の叔父に引き取られて育てられるが、フィリップはキリスト教に対する懐疑を持ち、棄教したのち、ドイツに留学し、その後、画家になることを夢見てパリに渡る。しかし才能の限界を感じた彼はイギリスに帰国し、今度は医師になることを目指す。とにかくフィリップは人生のさまざまな障壁を乗り越えて意味を探究しようとする。これが命題（二）である。

しかし、その彼が最終的に辿り着いたのは、人生には意味はない、という結論であった。人は生まれて、苦しんで、死ぬ――これに尽きる、と。成功も失敗も意味はなく、苦しみにも喜びにも意味はない。生きる意味がなければ、そもそも世の中の残酷さにも意味はない。しかし逆説的に、その無意味さから、フィリップは生きる力を得る。つまり、命題（一）に辿り着き、無意味さから意味を見出すという命題（二）に逆戻りする。

フィリップはかつて友人クロンショーが彼に語ったペルシャ絨毯の比喩を思い出す。人生はペルシャ絨毯のようなもので、織工がただその美的快楽のために一本一本の糸を織って作る模様のようなもので、その模様を作り上げることで織工は「個人的な満足感」(a personal satisfaction)（*Of Human Bondage*、五二四頁）を得る。イシグロと同じく、モームもまた個人の満足感を着地点とする。人生は個人がそれぞれのやり方で作り上げるパターン、すなわち模様に過ぎない。その模様は一人ひとり違っており、各人がその自分の人生の模様に満足すれば、それでいいと考える。ここで平凡な文学研究者は頭を抱える。モームは読者に命題（一）を直視させておきながら、親切にも命題（二）に読者を連れ戻してくれる。そうすると、凡庸な文学研究者はもはや言うことがなくなる。その通りです、としか言えない。命題（一）に読者を引き戻そうという気にはならない。

文学研究の意義——作者と読者のコミュニケーションを記述する

イシグロとモームに共通するのは、最終的に個人の持つ感情だけが人生を意味あるものにするという考え方である。少なくとも、その本人にとって有意味となるという結論である。ただし、これは結論であって、小説そのものは、まさにペルシャ絨毯のごとくさまざまな模様を織りなす一人の人間の視点から見た人生である。読者はその架空の物語から、作者が織りなした意味の世界を垣間見る。

モームもイシグロも、人生、人間存在の無意味さを認めつつも、そこに意味を発見し、付与し、読者に提示する。そうせざるを得ないからである。結局、文学だけでなく、宗教も哲学も歴史もその抽象度に違いはあれども、意味付与行為であることには変わりない。

だが、文学は個人の感情に行き着く。これが文学的な意味付与なのである。その感情的な意味付与行為に読者が納得するには、想像力が必要となる。

文学は、想像力を駆使して言語で構築された人間世界あるいはその象徴世界を描いたものである。

それを作ること・読むことで得られる意味とは何か？　文学はいわば作者が自ら作り上げた世界を通して自らの人生に意味を付与する行為に他ならない。個々の作家はそれぞれの意味を付与するから、その行為の意味付けを公式化するのは容易ではない。わざわざ物語という形で意味付与するのであれば、作者の創造行為の中に文学的な意味付与性があると措定することはできなくはないだろう。だから、それは感情の意味付与だと書いたのである。

一人ひとりの作家が人間とはこういうものだ、人生とはこういうものだと思っていることを架空の物語を通して読者に提示し、読者にその人間・人生を感じてもらうことを狙っている。読者がそこから何かしらの意味を受け取り、何かしらの情動的共感が起こるとき、文学を通した作者と読者のコミュニケーションが成立する。

そのコミュニケーションの成立を記述すること。それが文学研究にできる意味付与作業であろう。この意味のない世界に作者が付与した意味付けを読者に向かって、文学とは別の言葉で語りかけ、それが読み手に伝わるとき、文学研究者と読者とのコミュニケーションが成立する。

意味付与の相対化——異なる文化を旅すること

人間は存在の無意味さに耐えられず、したがって意味を付与する行為に必ず従事する。人間は意味も無意味も意識しない幼児から、意味付与の世界へと参入させられる。意味付与の世界にうまく適応できれば、それは社会の構成員になったと認知される。学校で学ぶこと、就職することなどがその典型である。しかし、何かしらの事情でそうした適応が難しい場合、つまり、意味付与の世界にうまく参入できない場合、本人は疎外感を覚える。

では、うまく適応できた人間はどうなるか。この意味付与の世界にとどまる限り、意味が次々と付与される環境に置かれるため、存在の無意味さという命題（一）を直視する機会に出会わない。しかし、何かの拍子に意味付与の世界から外れたとき、人は存在の無意味さという影の下に立つことになる。人は存在の無意味さに耐えられないため、残された道は二つ。住む場所を変えるか、現実とは別の世界に移動するかである。

一つの方法は、別の意味付与の世界に移動することである。居住地や職場を変える、あるいは外国に移住する。もしくはもっと手軽に一定期間、他の地域や国を旅する。留学もその一つであろう。そうして他の国や地域の意味付与世界を束の間眺めることで、自らが属している共同体で付与されている意味が絶対的なものではないことを知る。そのとき見る者の頭の中で文化の相対化が起こる。つまり、意味は何かに内在するのではなく、人間によって付与され、それが共同体の中で慣習化されたものに過ぎないと認識するのである。

移住や旅行以外に、もう一つ便利な方法がある。それが文学である。文学は一つの意味付与の世界から別の意味付与の世界へと誘うだけでなく、意味付与の世界から無意味な世界へと読者を連れ出す。しかも、先に触れたイシグロやモームの文学の場合、読者を命題（二）から（一）にいったん連れていきながら、最後に（二）に連れ戻してくれる。そうやって、命題（二）と（一）の間を往復することを可能にしてくれる。だからと言って、文学に意味があるわけではない。ただ、それを可能にするのが文学だと言っているに過ぎない。

人生と意味付与——E・D・クレムケの場合

ここまで文化と意味付けについて考えた。では、人の人生と意味付けはどのような関係にあるのか。本節では、ある哲学者による人生の考察を参照しながら考えてみたい。

人間は無意味な存在ではない、というのが哲学者E・D・クレムケ（E. D. Klemke）の主張である。彼によれば、宗教家は超越的な存在を信じなければ、人生に意味を見出せないという。しかし、神を信じるからといって、神が存在することにはならない、として、クレムケは超越的な存在を否定する。また神の存在が人生に意味を与えるという宗教家の主張にも反論する。意味は客観的には存在しない。意味を与えているのは人間であり、主観である。つまり、超越的な存在を想定しなくても、人間は自らの人生に意味を与えられるという。少なくとも、自分はそうだ、とクレムケは主張する。

クレムケが編んだ*The Meaning of Life : A Reader*から、彼の文章を引用する。itはすべて「意味」（meaning）を指す——

> I must attempt to find it without the aid of crutches, illusory hopes, and incredulous beliefs and aspirations. I am perfectly willing to admit that *I may not find any meaning at all* [...] I *must try* to find it on my own.
>
> （Klemke 一九一頁、強調原著者）

私はなんとしても意味を見つけなければならない。松葉杖の力を借りず、幻想的な希望を抱くこともなく、あり得ない信念や野望に惑わされることなく。ひょっとすると何一つ意味は見つからないかもしれない。その可能性を躊躇なくすすんで認めよう。〔…〕私は自分のやり方で意味を見つけようとしなければならないのである。

宇宙には客観的な意味はないが、代わりに人間が主観的な意味を付与する。つまり、自身の存在に意味を持たせ、その意味を作り上げる――「自分自身の意味を作り上げる」("forge my own meaning")(Klemke 一九三頁)。しかも意味は自由に作ることができるという。ただし、と彼は付け加える。

それは、その人の主観の豊かさに依存するという。主観の乏しい人は人生に意味を見出せない。それは主観の乏しい人の運命だという。しかし、自分自身は、と断りながら、知識、芸術、家族や友人への愛、そして仕事が生きる意味を与えてくれるという。だから、自らの主観に基づいて意味を作り上げ、自らの人生を意味あるものにできるという。

そうした意味付けには意識が必要であり、その意識が続く限り、そして最後の意識の瞬間に外的状況を意味あるものに変換できれば、自分は「情熱的な勝利と喜びを持って」(一九五頁)死ぬことができるという。

人生の意味は自分で作るしかない、という点は、モームのペルシャ絨毯の比喩、すなわち、織工のように人は自分なりの人生模様を織っていくしかない、という主張に似ている。人生の意味もまた個人によって作り出されるものだ、というクレムケの主張に凡人も納得する。そもそも意味を付与しない選択肢はないと凡人は考えるからである。クレムケもまた自分なりの意味付与を行なっている。

とはいえ、凡人はクレムケの論に納得するが、感心しない。感心しないのは、個人の主観の豊かさに応じて、意味付けの強度が変わり、その強度が低いと、人生に意味を付与することに失敗する、という彼の主張である。これは非凡の人の主張である。凡人はそう考えない。個人の主観が豊かだろうとそうでなかろうと、そもそも人生に意味はないと凡人は考える。だから個人の主観の強度は基準にはなり得ない。主観の強度を基準にできるのは非凡な人だけである。そんな基準を凡人は信用しない。

凡人はもっとシンプルに考える。人間にも人生にも本来意味はないのだから、意味は個人が勝手に作ればいい。その意味付けに初めから強度などない、と考える。

意味付けの方法はいろいろあるが、最後は結局、本人の感情の問題である。それは文学が明らかにしている。だから、哲学者クレムケも、人生の最後の瞬間に「情熱的な勝利と喜び」を持って死にたいと言う。そう言うしかない。そんな恵まれた死に方があるとは到底思えないが、本人がそうしたいと言うのだから、凡人がとやかく言うことではない。

だが、はたして死ぬ直前にそんな感情が湧き上がる余裕などあるのか、とむしろ凡人は心配する。クレムケの人生を意味付けるのは、知識、芸術、家族や友人、仕事に対する愛だという。しかし、と凡人は思う。元気に生きている間は確かにそうかもしれないが、年老いて、周りの人間がどんどん死んでいくとき、はたしてそんな悠長なことを言っていられるのか。最後はたった一人で死ぬかもしれない。人生の最後の瞬間に勝利や喜びを感じたいというが、本当にクレムケはそのように死ぬことができたのだろうか。

他人のことを心配している余裕は凡人にはない。

クレムケは、超越的存在への信仰は意味をもたらさない、という。そうかもしれない。クレムケの論文のタイトルが、Living without Appeal（何かに訴えずに生きること）となっているのは、個人の外に人生を意味づける根拠を求めない、という彼の主張を表しているのだろう。

しかし、超越的存在に「アピール（訴えること）」をしない、とはいうものの、家族や友人、知識や仕事といった自分の外にあるものに依存していることに変わりない。彼が意味付けに主観を持ち出し、個々の人間が自ら人生に意味を与えるしかないと考えるのも、一つの信念(faith）でしかない。そうした意味を彼は「主観的意味」(subjective meaning）と呼んでいる。しかし、と凡人はまた思う。自分の意識や主観をそこまで信用できるのか。凡人は率直にそのような感想を持つ。確かに人生に意味を付与しようとすれば、最後は個人の主観しか頼れない。それはその通りである。しかし、その主観は変わる。意識も変わる。意味を付与するための根拠も変わる。イシグロのオノを見てきた凡人はそのことを知っている。

人生の意味付けは個人の領分である

凡人がChatGPTに、生きる意味について質問したら、それは個人の問題だ、と答えた。クレムケも最終的に人生の意味は個人の問題だと述べていた。超越的な存在を持ち出しても、それが人間の生きる意味にはならない、と。

イギリスの哲学者A・J・エアー（A. J. Ayer）は、論文“The Claims of Philosophy”（*The Meaning of Life*所収）で、人生に意味はあるか、という問いに対して、その人生を人生一般として捉えると正しい答えが出ないと述べている。

それは結局、個人の資質とその個人の置かれた環境によって意味や目的が違うからだ。だから普遍的な人生の意味を求めても答えは出ない。

では、個人はどう生きるべきか、という問いだとどうか。これも個人の価値観と選択に依存するので、普遍的な答えはない、というのがエアーの回答である。

クレムケのいう個人の主観と基本的には同じ結論である。個々の人間がどう生きるか、自分の人生に何の意味を付与するのかという問いは、その個人にしか答えられない。

ところがその個人が月日とともに変わる、ということを凡人は知っている。つまり、ある時点で、人生の意味はこうだ、と言っていたとしても、時間が経つと、まるで異なる意味付けをしている。それが人間である。だから意識も主観も信用できない。変わるからだ。

それでも日々変化する意識や主観によって意味付けを行うことしかできないのが人間である。

だから人生の意味に対する答えは、あくまでその時点での回答でしかなく、その意味付けもまたいずれ変わる、というのが凡人の導き出す結論となる。この結論は、人間の存在に意味はない、という凡人の命題にも適応されることは言うまでもない。

開き直りこそ凡人の生き方の極意

一流を目指すための本は数多くある。一流とは、どういう人なのか。非凡な人である。二流になるとだいぶ平凡に近づくような気がするが、まだ凡人ではない。三流はどうか。凡人であろう、少なくとも当人がそう思っていれば凡人である。私たちの大多数は自分が凡人だと思っている。当然、凡人には凡人の生き方がある。凡人の生き方の極意は何から学べばよいのか。文学に決まっている。

平凡な文学研究者は同じ文学作品を何度も取り上げる。だからモームの小説『人間のしがらみ』をふたたび読み返す。

主人公フィリップは、画家として自分に才能があるのかどうかで悩む。友人のクラトンに相談すると、画家が絵を描くのは食べるためではなく、描かざるを得ないからで、描かないと自殺するしか無くなる、と言われる。つまり、他者に評価されるために描くのではなく、描かずには生きられない自分自身のために描くのだ。おそらくゴーギャンのことだと思うが、妻子を捨ててタヒチへと旅立った画家のことが言及される。このゴーギャンをモデルにしたのが、モームの『月と六ペンス』である。

次にフィリップは、絵画教師フォイネットに、自分に絵の才能があるのか正直に教えてほしいと頼む。フィリップの絵を見たフォイネットは、まずお金を稼ぐことが重要だという。金は人生の第六感のようなもので、金がないと他のすべての五感もおかしくなる。画家が金のために絵を描くことほど不幸なことはない。君は器用さを持ち合わせているが、才能があるかと言えば、ない、ときっぱり言う。そこでフィリップは考える。画家は二流では食べていけない。それを続けると人は人でなくなる、貧困は人から人間性、独立心や寛大さや正直さを奪う、というフォイネットの言葉が重くのしかかる。そこで画家の夢を断つことにする。

こう決断してイギリスに帰国した彼に、叔父は「転げる石には苔もつかない」(A rolling stone gathers no moss) という有名な諺《ことわざ》を持ち出して、続けることの大切さを説くが、フィリップの耳に入らない。他人のアドバイスを聞いて正しいことをするよりも、自分の判断で過ちを犯すことのほうが余程ためになると彼は考える。

しかし、と凡人は考える。人生における本当の難問は、自分が二流どころか、三流であっても食べられるとき、どう生きるか、という問いである。三流でも、ありついた仕事にしがみついてなんとか稼ぐしかない、というのが大多数の人々の状況であろう。一流になれるかどうかではなく、食えても三流だというのが人生の要諦なのである。だから三流の人生をどう生きるか、という疑問が当然出てくる。ところが、誰もそんなことを問題にしない。やるなら一流を目指すべきだというのが世間の常識だからである。

この疑問に対する一つの答えは、一流を目指すのを諦めて、自ら反面教師になることである。親や教師になって後進に期待する。ダメな父親の息子は大成することがある。あのような人間にはなりたくないという反発が、父とは違う人間になりたいという欲求を引き出す。オノがそうだった。しかしだからといって、反面教師として生きろ、というのは、やろうと思ってできることではなく、そうなってしまうもので、これは人生の指針にはなりにくい。そもそも次世代に何かを期待する生き方では、期待する当人が救われない。そんな生き方を他の凡人が押し付けるのもどうかと思う。

もう一つの答えは、クラトンの言うように、画家が絵を描くのは、そうせざるを得ないから描くように、三流だろうがなんだろうが、やらざるを得ないことはやると割り切る、というものである。自分に与えられた仕事がそれなのだから、その仕事をやるしかない。一流や二流を目指しても仕方ない。三流であることを潔く認め、それを受け入れるのである。積極的に三流を引き受けるのだ。

では、三流の人生を受け入れるのにどのようなコツがあるのか。それは、他人の評価とは別の次元で何かをすることである。他者の評価が介在しない何かをすればよい。その何かはもちろん、先のクラトンの言葉を用いれば、どうしてもやらざるを得ないことで、それを他人の評価とは別のところでやっていればいい。凡人に言わせれば、フィリップは画家として才能があるかどうか、食えるか食えないか、で画家を続けるかを判断すべきではなかった。絵を描きたいのであれば、描き続ければよかったのである。大成しないからやめる、というのは別の道で一流を目指す、ということであって、これは凡人の生き方ではない。もちろん別の道で大成する可能性もある。若い人はそうすればよい。フィリップも若かった。しかし四十を過ぎて人生を折り返した凡人にそういう夢を見ている暇はない。未来を見て現在を決めるのではなく、現在やりたいことを未来もやればよいのである。

作家も同じである。多くの作家は、何かとてつもない意思を行使して書いているのではなく、ただ書かないではいられないから書いているに過ぎない。そう言うイシグロ自身は非凡な作家なので、彼の言はあまり真に受けないほうがいいが、彼は作家として大成しなかった多くの平凡な作家を知っている。イースト・アングリア大学大学院の創作科に在籍中にそういう仲間を見てきた。その彼が言っているのである。

書かずにはいられないから書く人の中には、他人に高く評価されるものを書く人が当然いる。しかし他人が評価しなくても書かざるを得ない人がいて、その人は評価されなくても、やっぱり書くのである。

他人に評価されなくてもやるのだから、三流もへったくれもない。文学を読めば、そのことがよく分かる。だから凡人の生き方の極意は、一言で表せば、開き直りである。自分は凡人なのだと覚悟を決めたら、開き直ってやりたいことを健やかに軽やかにやればよいのである。

たったこれだけのことを言うために、一冊の本を書かなければならないのが凡人である。

あとがき

　凡人が健やかに軽やかに生きようと思えば、どこかで開き直るしかない。他人と比べない。自分のやりたいことをやる。そう開き直って書いたのが本書である。凡人が文学入門を書くのだから当然である。

　ただ本書の至るところで凡人が連呼されている。不快に思われた読者がいるかもしれない。他人から凡人呼ばわりされて気持ちのいい人はいないから無理もない。ただ、そう感じるのはご自身が凡人だとすでに自覚されているからで、凡人の覚悟を持つところまでもう一歩である。それより凡人という言葉に引っかからずに本書を読み終えてしまった読者のほうが気になる。すでに凡人の覚悟まで到達しているか、自分が凡人だと気づいていないかのどちらかであろう。

後者の読者が凡人として覚醒することを願って本書は書かれた。

そうは言っても、凡人という言葉に引っかからなかった人の中には非凡な人もいるだろう。確かに世の中には本当に非凡な人がいる。凡人には手の届かない非凡さに恵まれた人がいるのである。そもそも私たちが凡人だと自覚できるのは周りに非凡な人がいるからである。凡人しかいない世界では自らの凡庸さに気づくことはできない。非凡人がいるからこそ私たちは安心して凡人でいられる。私の知り合いにも非凡な人はいるが、ここでは恩師だけを紹介する。

高校の恩師清水康弘先生と大学の恩師松本達郎先生は今年米寿を迎えられる。お二人とも博覧強記の人でありしかも人格者である。私の父にマンツーマンの講義をしてくださっている先生方だ。今でも大量の本を読まれている。十代から二十代にかけて私はこうした碩学の仙人みたいな先生たちに教わった。一流に憧れずにいられるわけがない。若い頃は私もいつかは仙人になりたいと思っていたが、お二人は雲の上の非凡人だと最近は思うようにしている。

非凡人と言えば、大学院時代の恩師斎藤兆史先生もまさに非凡である。英文学者、英語文体論学者、英語教育者、翻訳者などさまざまな顔をお持ちである。英語の達人であり、書道の達人でもある。絵も描かれるしドラムも叩かれる。他人の声色を真似るのも恐ろしく上手だ。いつだったか東京の神田でお目にかかったとき、合気道の道着を持っておられた。斎藤先生ほど多くの才能に恵まれながら日々努力を怠らない非凡人を私は知らない。本書の草稿を読んでいただこうかと思ったが、『努力論』を上梓されている先生に、努力をどこかにほっぽり出して生きているバカ弟子が原稿を送ろうものなら破門されるのでは…と思ってやめた。

同じく大学院時代からご指導をいただいている山本史郎先生もやはり非凡である。凡人の私からすれば、山本先生の英文を読む力は尋常ではない。私自身、十代から英語の本をたくさん読んでいたので二十代後半までに数百冊の英書をすでに読んでいた。だから自信はあった。ところが山本先生の授業に出て見事に鼻をへし折られ、英語が読めるとはどういうことかを思い知らされた。今でも先生の本を読むたびに自らの凡庸さを思い知らされる。

こうした非凡な先生たちから教わるようになった頃、私はまだ若くて自信にみなぎっていた。努力していれば、そのうち先生方のようになれると思っていた。冗談ではなく、本気でそう思っていた。それが無理なことなのだと気づいたのは三十代後半になってからである。四十を過ぎてようやく自分が凡人であることを自覚した。それが分かったら不思議と気分が楽になった。

本書の草稿は凡人を自認している父母に一読者として最初に読んでもらった。非凡な人の意見も聞きたいと思い、友人の伊藤秀倫さんと小柳敦史さんにも読んでいただいた。伊藤さんは本の構成や改善点についてご教示くださった。伊藤さんとの会話の中で凡人というテーマが膨らんだ。小柳さんも感想や疑問点をざっくばらんに語ってくださった。小柳さんは若い人にも読ませてはどうかと提案してくださったのだが、結局それでも四十歳以上の読者に限定したのは、若い人と中高年はやはり違うと私が思うからである。仕事で忙しい中、草稿に目を通して有益なアドバイスをくださった非凡な中年のお二人に感謝を申し上げたい。

原稿が仕上がり、各出版社のホームページを見ていたとき、幻戯書房の「紙の本の手触りと蔵書する喜び」の文字が目に飛び込んだ。画面全体に気品が漂っていて本の装幀も美しい。こんな出版社から本を出せたらいいなと思った。幻戯書房の田尻勉代表はとても誠実に応対してくださった。後日、本書の編集を担当されることになる中村健太郎さんから拙稿について長文の感想と提案のメールが送られてきた。本書のタイトル、章題、各章の見出しを考えてくださったのも中村さんである。非凡な編集力に大いに助けられた。本書を美しい装幀に仕上げてくださった佐藤絵依子さんにもお礼を申し上げたい。ありがとうございました。

本書は私が凡人であることを自覚してようやく書き上げた初めての単著である。右で挙げた人たちの協力なしでは完成させられなかった。凡人が健やかに軽やかに生きるには、周りの人の助けがどうしても必要になる。そう思うと、ここでは紹介しきれなかった先生方、友人、同僚、研究仲間に支えられて自分はどうにか生きてこられたのだと実感する。五十年近く生きていれば、大変なことがいろいろある。その時々に私は周りの人たちに助けてもらった。お名前は挙げないが、その方々にも心から感謝を申し上げたい。

四十歳を過ぎた読者のみなさんもいろいろな経験をされていると思う。これから先の人生をどうか健やかに軽やかに生きていただきたい。心からそう願っています。

二〇二四年一月

森川慎也

［著者略歴］
森川慎也［もりかわ・しんや］
一九七六年、姫路市生まれ。姫路獨協大学外国語学部英語学科卒業。同大学院言語教育研究科言語教育専攻修士課程修了。東京大学大学院総合文化研究科言語情報科学専攻修士課程修了。同博士課程修了、博士（学術）。北海学園大学人文学部教授。共編著に『カズオ・イシグロの視線――記憶・想像・郷愁』（作品社）、*Japanese Perspectives on Kazuo Ishiguro*（Palgrave Macmillan）がある。

40歳《さい》から凡人《ぼんじん》として生《い》きるための文学入門《ぶんがくにゅうもん》

二〇二四年四月九日　第一刷発行

著　者　森川慎也
発行者　田尻　勉
発行所　幻戯書房
郵便番号一〇一-〇〇五二
東京都千代田区神田小川町三-十二
岩崎ビル二階
電　話　〇三（五二八三）三九三四
FAX　〇三（五二八三）三九三五
URL　http://www.genki-shobou.co.jp/

印刷・製本　中央精版印刷

ISBN978-4-86488-295-8　C0098